時代の異端者たち

翁長雄志
美輪明宏
木谷 明
武田砂鉄
白川優子
河野洋平
北丸雄二
半田 滋
平嶋彰英

青木理

河出書房新社

時代の異端者たち　目次

時代の異端者たち

はじめに

本書は、スタジオジブリ出版部が発行する月刊の小冊子『熱風』誌上で現在もつづけているインタビュー・対談連載『日本人と戦後70年』が土台となっている。また、先にこの連載から9人の発言を編んで出版した『時代の抵抗者たち』（河出書房新社）の続編にも位置づけられる。冊子連載のタイトルに私とジブリ出版部の編集者が込めた思いや、前作『時代の抵抗者たち』という書籍タイトルに込めた私の思いは、前作の冒頭でかなり詳しく記した。だから繰りかえしになってしまうのだけれど、続編となる本書のタイトル『時代の異端者たち』にも通じるところがあるから、当該の記述をあらためてここで紹介しておきたい。

前作の「はじめに」で私はこう書いた。

〈本書に登場いただいた9人をご覧になればわかるとおり、なかには根っからの「抵抗者」もいるにはいるけれど、しかしそれぞれの分野で一流のスペシャリストであり、本来であればそれぞれの分野の中心的人物として中枢を歩み続けていく――あるいは歩み続けてもおかしくなかった――ような方々が多数含まれている。

ところが、そうした方々が政治的発言を余儀なくされ、必死で警告を発する役回りを担わされている。つまり、もともとは決して「抵抗者」などと呼ぶべき存在ではないのに、時代と社会の歪みが彼らをして「抵抗者」たらざるを得なくしてしまっている――そんな含意が、『時代の抵抗者たち』というタイトルには込められている〉

　本書も基本的に同様である。

　前作と同じく9人の発言をピックアップすることになった本書の顔ぶれをみていただいても明らかなように、やはりいずれもそれぞれの分野で一級のスペシャリストとして王道を歩むべき人びと――あるいは実際に王道を歩んできた人びと――ばかりであり、その活動分野は多岐にわたっている。政と官、芸能、司法、医療と国際支援、安保と防衛、性的マイノリティ、そしてメディアとジャーナリズム。

　しかし、この9人はいま、必ずしも各分野において圧倒的主流の場所に立っているわけではない。むしろ主流からは外れたところに位置し、現在のろくでもない主流に向けて必死の警告を発する役回りを担っている者が多い。自ら望んでそうしている者もいれば、追いやられてそうした立場に置かれてしまった者もいるが、そんなことはお構いなしに9人とも現下の政治や社会に向けて真摯なメッセージを届けつづけている。

　これはやはり時代と社会の歪みゆえのことであり、もし彼ら、彼女らがそれぞれの分野での主流を歩んでいれば、コロナ禍で無惨な醜態をさらすこの国の政治や社会はどれほど真っ当になっていただろうかと夢想してみたくなる。いや、せめて彼ら、彼女らのような人びとがそれぞれの分野にもう数十人、あるいは数人でも多く存在していたら、この国の政治と社会はもう少しましなものになっていたのではないかと考えたりもする。

いずれにせよ、前作と同じく時代と社会の歪みが本書に登場する9人をして「異端者」たらざるを得なくしてしまっている――そんな含意が『時代の異端者たち』というタイトルには込められている。つまり本作に登場する人びとは本来決して「異端」ではないし、「異端」であるべきではない。それでも本書の幕開けにふさわしいことを書けば、たとえ「異端」であったとしても彼ら、彼女らのような者たちが同時代に存在したことは、このろくでもない現在にかすかに灯された希望のようにも私には思われる。

なお、インタビュー・対談本文中の肩書きや時制などは、基本的に当時のままとして修正や補足は最小限にとどめ、それぞれの末尾にインタビュー・対談が行われた日時を明示したことをあらかじめお断りしておく。

第1章

翁長雄志

それでもめげないことに沖縄が生きる価値がある

いまは亡き翁長雄志に私がじっくりと話を訊いたのはこれがはじめてのことだった。原稿は『熱風』誌上で発表し、この仕事をきっかけに本書のもととなる同誌での連載対談もスタートしたから、私にとっても思い出深い仕事になっている。インタビューが行われたのは2015年5月。それから約3年後に翁長は世を去り、さらに数年が経ってしまったのだから、時の移ろいはあまりに早い。

だが、その発言は古びていない。古びるどころか、いまなお変わらずに噛みしめるべき沖縄の歴史と叫びが凝縮されている。だから本対談集の冒頭にこのインタビューを置く。

周知のように翁長は那覇市長を長く務め、自民党沖縄県連の幹事長なども歴任した沖縄保守政界を代表する政治家だった。なのに沖縄県知事として名護市辺野古への米軍基地建設に異議を唱え、「オール沖縄」のリーダーとして反対運動の先頭に立った。だから翁長は〝変節した〟と多くの者たちが受けとめ、正直に記せば私もそう考えていた。

しかし、インタビューを終えて考えをあらためた。おそらく翁長は、変節したのは自分ではなく、むしろ本土の政治——特に本土の自民党政治が無惨に変節してしまったと捉え、自らこそが戦後日本の保守政治を体現する存在だと考えていたのではなかったか。さらにいうなら、沖縄に凝縮された戦後の矛盾を必死に訴えつつ、変質してしまった本土の自民党政治に復元を迫っていたのではないか。

以上は私の推測である。だが、翁長の言葉を読めば、あながちそれが私の妄想ではないことをお分かりいただけると思う。沖縄の保守が——いや、戦後日本の良質な保守政治家が死の3年前に発した遺言を、私たちは咀嚼しつづけねばならないと痛切に思う。

なお、このインタビューにはスタジオジブリのプロデューサー鈴木敏夫も参加し、私とともに話を訊き、質問もぶつけた。

青木　訪米直前のお忙しい中、お時間をとっていただいてありがとうございます。うかがいたいことはたくさんあるのですが、まずはなんといっても名護市辺野古沖への基地建設問題です。現在ある米海兵隊の普天間飛行場は住宅や学校などが密集する宜野湾市のどまんなかに位置していて、これを除去するためとして日米両政府は辺野古の沖合に新基地を建設して移設すると決定し、工事を強行する姿勢です。まずは現時点（２０１５年５月21日）における翁長さんの率直なお考えをうかがわせてください。

翁長　はい。この普天間飛行場の問題、世界一危険な普天間問題の解決方法は、沖縄県内にある美しい大浦湾を埋め立てて辺野古に新基地を建設し、そこに移すんだということを日本政府もアメリカ政府も決定し、先の（２０１５年４月に行われた日米首脳会談後の）共同会見でも話をしています。

　しかし、私ども沖縄からしますと、あるいは私からしますと、日米安保体制の重要性というのは理解をしておりますけれども、日本の国土面積のたった０・６％にすぎない沖縄に73・８％の米軍専用施設があるというのは、いかにも理不尽ですし、日本の安全保障を考えるという意味でも、これは本当になんとかしなければいけない状況だと考えます。

　今から12年前、アメリカのラムズフェルド国防長官（ブッシュ政権期の国防長官）が普天間基地を訪れ、こんなに危険な基地はないから返還をさせなさいと言明しました。菅義偉官房長官も最近の１年ほど、普天間は世界一危険な飛行場だから危険を除去するのが原点だと何度も指摘しています。そのためには辺野古に（新基地を）つくるのが唯一の解決策だと言っているのですが、まずは沖縄が戦後自ら基地を提供したことは一度もないと私は強く申し上げたいんです。

今の普天間の基地も、住民が収容所に収容されている間に米軍が基地をつくってしまったんです。それ以外のすべての基地も住民がいない間につくられたか、住民がいても銃剣とブルドーザーで家を壊し、住民を追い出してつくられました。

ですから普天間の問題を考える時、土地を奪って基地をつくっておいて、それが老朽化したから、あるいは世界一危険になったから、おまえたちがまた負担しろと。そして辺野古が唯一の解決策だ、いやだったら代替案を沖縄から出せと。こういう話をすること自体が日本の政治の堕落ではないかということを私は申し上げているわけです。

青木　もともと翁長さんは自民党の政治家ですね。那覇市長を4期務められる一方、自民党沖縄県連では幹事長まで歴任されています。その自民党政権が辺野古への新基地建設を強行しようとしているわけです。

翁長　ええ。私は自民党出身の知事です。しかし、基地問題にかんしては、本土全体で考えるということの弱さを感じておりましたし、もう自由主義社会を守るとか、イデオロギー的にものを考える時代でも状況でもありません。

そもそも沖縄は何百年もの歴史を持ち、自然、歴史、伝統、文化を守ってきましたが、１３６年前に日本に併合されました。これを「琉球処分」と私たちは言っていますけれども、そういったようなことを経ながら、ウチナーグチに「ハイサイ　グスー　ヨー　チューウガナビラ（こんにちは、みなさん、ご機嫌いかがですか）」という挨拶の言葉がありますが、私たちのおじいちゃん、おばあちゃんたちはウチナーグチも禁止されて、標準語もしゃべるようになって、いわゆる立派な日本人になれと言われたわけです。皇民化運動ですね。立派な日本人になろうということで頑張って、そして戦争に突入したら沖縄が唯一の地上戦の舞台になった。そこで実に10万人を超す沖縄県民が亡くなりました。

　その戦争中、日本人になろうとして一生懸命頑張った沖縄の人が、場合によっては言葉が違うからスパイだとか、あるいはまた日本軍が負けそうになったら足手まといだからというようなことで、これは詳しい話はしませんけれども、いろいろな悲劇がありました。そういうことも経ながら沖縄は日本の国に操を立てて一生懸命頑張ってきたにもかかわらず、戦争が終わったら、１９５２年のサンフランシスコ講和条約によって、日本の独立と引き換えに沖縄は米軍に差し出されたわけです。

　終戦から１９７２年に返還されるまでの約27年間、沖縄の人びとは日本人でもなければ、アメリカ人でもない状況に置かれたんです。当然、日本国憲法も適用されないし、国会議員を１人も出すことができなかった。

　その中でアメリカは絶大な権力を持つ高等弁務官を置き、沖縄にも議会などはありましたが、すべては形式的で、高等弁務官が命じればどうにもならないという27年の中、県民は自分の人権を守る、子供たちの将来を守るということで、いろいろなことをやりながら、自治権獲得のために、人権獲得のために、血を流すような努力をしたんです。

そうすると、私たちの心の中には別の想いも湧くんです。日本国にあれだけ尽くして、そしてあの27年間は何だったのか。日本は戦後、これは自民党が政権のほとんどを担いましたが、私たちは戦死者を1人も出しませんでしたよと、平和な日本をつくり上げてきましたよと、高度経済成長をやってきましたよと、そう訴える時、沖縄の側から見ると、それをできたのは27年間も沖縄を米軍にあずけて、ベトナム戦争ではそこからB52が毎日飛び立っていって、枯れ葉剤から何からまだ残っているような状況で沖縄をベースにしながらやっていたんではないですかっていう想いが消せないんです。そういったことに一切触れずして、復帰から43年も経って、いまだ基地問題が抜本的に解決されないというようなことが大きな問題だと思うんです。

青木　あらためてお話をうかがっていると、日本の戦後史も、本土の視点と沖縄の視点では、ずいぶんと違ったものに見えてきますね。

翁長　ええ。ですからまず、普天間は沖縄県民が自ら差し出した基地ではありませんと。強制的に接収された土地なんですと。それが老朽化したから、世界一危険になったから、また沖縄が負担しろというのは、繰り返しますけれども、日本の政治が沖縄の負担というものをまったく考えないまま高度経済成長を謳歌した、そういったものの方角から見る発想であって、本当の意味で日本という民主主義国家が品格ある成熟したものにはなっていないということではないでしょうか。

　その上に乗った日米安保体制も、0・6%の面積に73・8%の米軍の専用施設があるという中、日本国民全体で日本の安全保障を負担するのではなく、沖縄一県にこれだけを押しつけておいて、抑え込んでおいて、「日本を、取り戻す」とか「美しい国」とか、そういうところに僕は安倍政権の一番根本的な矛盾があるのではないかなというふうに思っているんです。

普天間の返還ではなく、明らかな基地機能強化

翁長　よく日本政府の方々はこういうことを言いますね。沖縄に誠心誠意寄り添い、沖縄県民の理解を得て、基地の負担軽減をやる中でものごとを進めていきたいと。

　具体的なものを二つだけ話しますと、まず一つは、普天間が辺野古に移り、そうすれば嘉手納以南の那覇軍港とかキャンプ・キンザー（牧港補給地区、浦添市）とかキャンプ・フォスター（沖縄市など）とか、これらがみんな返還されるという話が着々と進んでいるという説明があります。これは安倍総理と一対一で話をした時も触れられていました。

　しかし、私は申し上げたんです。「総理がおっしゃるように、普天間が移って、嘉手納以南が全部返されて、どれだけの基地が減るかおわかりですか」と。返事はありませんでした。一昨年、小野寺（五典）防衛大臣（当時）と話をした時、一緒にその計算をしたのですが「73・8

からたった０・７％しか減らない。７３・１％も残るんですよ」と言ったら、これについても返事はありませんでした。

なぜそのようなことになるかといえば、那覇軍港は（代替施設を）浦添につくるんです。それからキャンプ・キンザーも沖縄市とか、嘉手納飛行場のそばに持っていくことになっている。つまりみんな県内移設なんです。これでは変わらない。

それでも県内移設で動くかということになると、（日米合意で）明示された年限は那覇軍港だったら２０２８年、今から13年後です。しかも括弧書きで「またはその後」と書いてある。キャンプ・キンザーは２０２５年返還。これも括弧して「またはその後」。こんなもので着々と返還が進んでるなどということを言うのは日本語として成り立たないのではないですか、という話もさせていただきました。

青木　本土の私たちは、そうした現実をあまりに知らなすぎます。もう一点というのは?

翁長　もう一つはオスプレイの問題です。現在は24機、普天間に配備されていますが、そのうちの半分ぐらいは本土の方に訓練を移転させ、沖縄の負担軽減も実行していますという話がしばしば強調されます。

オスプレイが配備されたのは２０１２年のことですが、この時も事前に私は申し上げていたんです。「本当にくるんですか」と。しかし、政府は知らぬ存ぜぬでした。アメリカから何の通知もない、わかりませんと言うんです。

ところが民主党政権で防衛大臣を務められた森本敏さんが、その2年前の2010年に本を出している。この時は軍事問題の学者として出しているんですが、この本の中に何が書いてあるかというと、2012年に12機配備され、2013年に12機配備されますと。実際にそのとおりになっていますから、綿密な実情をよくご存じだということです。

その森本さんがほかに何を書いているかというと、実は辺野古の基地というのはオスプレイを配備するために十何年前に設計されたもので、今後は100機以上も辺野古に配備されると書いてあるんです。2012年に12機、2013年に12機、そして先々は100機以上くると。これはかなり現実性があると考えなければいけません。

青木　米軍が最新鋭の輸送機として鳴り物入りで導入したオスプレイは、開発段階からたびたび事故を起こし、アメリカ国内でも「ウィドウ・メーカー（未亡人製造機）」などと揶揄されています。両翼に巨大なプロペラを配し、その向きを切り替えることでヘリコプターと飛行機の〝いいとこ取り〟をしたとされる機体ですが、従来の輸送ヘリより航続距離も輸送量も飛躍的に伸びたと喧伝される一方、システムの複雑さや操縦の難しさから事故が絶えず、欠陥機だという批判も根強くありますね。ましてや普天間のような人口密集地の基地に配備されれば、万が一のことがあった時のことを考えるとゾッとします。

翁長　オスプレイはアメリカの軍需産業が4兆円もかけてつくっていますから、これを捌かなければいけない。でも、どこに捌くかといっても、日本しか捌けるところはない。だから自衛隊もオスプレイを導入するんでしょう。

公には言われていないのですが、実は普天間の老朽化とキャパシティの問題もあります。オスプレイは機体がとても大きくて、噴射して上昇していく時に基地の負担は大変なものらしいんです。老朽化した普天間ではこれに耐えられない。まして100機も入らない。だから辺野古に行くんだ、というところまで森本さんは書いているんです。

ですから、世界一危険な普天間の返還というよりも、明らかな基地機能の強化なんです。提出された環境アセスメントの申請書などを見ると、全長272メートルの強襲揚陸艦なども接岸できるように護岸整備がなされる。それから弾薬庫がつくられる。今は普天間にもなくて、別のところにあるのですが、これを辺野古に配置する。本当にみごとに〝合理的〟な基地ができあがるようになっている。

つまり沖縄の負担を軽減するんだと言っている背後には、やはり基地の大幅強化があり、沖縄をこれからも軍事拠点にするんだという方向にものごとが進んでいるのがよく見えるんです。安倍総理には「新辺野古基地に（オスプレイが）100機くると言っているじゃないですか」とも尋ねたんですが、これも返事がありませんでした。

沖縄には、本土からは理解できないパワーがある

青木　オスプレイについていえば、日米両政府がつい先ごろの２０１５年5月12日、横田基地（東京都福生市など）にも配備する方針だと正式発表しました。沖縄の嘉手納基地などに配備する構想もあったけれど、沖縄の負担軽減などを考慮して横田基地を選んだと強調していますね。

翁長　横田には（空軍型の）ＣＶ22といって、（海軍型の）ＭＶ22よりも事故率が3倍ぐらい高いオスプレイを配備するということで、これは沖縄への配慮であるとされていて、横田の方々はイヤだと言っています。

しかし、これも現実を見ると、ＣＶ22を維持する部隊は嘉手納に残してあるんです。また、これからも残すと言っている。残すということは、ベースキャンプはいずれこの嘉手納に移ってくる。つまり、新辺野古基地をつくるという壁を乗り越えるため（の方便）としか思えない。

沖縄ではいつもこれを「話のご馳走」、ウチナーグチでは「ハナシクワッチー」と言うんです。いつも何か沖縄が反対をして、難しい状況になると、いやいや５００億円あげましょうと言ったりするけれど、つくらせた後は、お金の話もみななくなってしまったことが70年の間にいくらでもあるんです。

だから今回も「ハナシクワッチー」、また戻ってくることが予見される。沖縄の『琉球新報』とか『沖縄タイムス』はしっかりそういうことを書いてくれるんですけれど、本土のメディアはほとんど書きませんから、私たちの考えや訴えはなかなか届きません。

青木　私も本土のメディアで長く仕事をしてきましたから言葉もありませんが、本土メディアと沖縄メディアの温度差、沖縄や基地問題にかんする報道ぶりの落差は溜息が出るほどです。

翁長　それでも4月に菅官房長官と直接お会いし、安倍総理と直接お会いしましたら、最近の全国紙の世論調査、すべての調査で平均10ポイントくらいの差で、本土の方々も辺野古に基地をつくってはいけないという回答の方が多いという結論が出たんです。今まで沖縄だけにとどまっていた私たちの主張が、菅さん、安倍さんと話をすることによって本土の方々にもご理解をいただいているんだな、というのがこの2カ月で大きな収穫でした。

昨日（2015年5月20日）は、日本記者クラブと日本外国特派員協会の皆さん方ともお話をさせていただきました。ありがたいことに、たくさんの方々に取材をしていただきました。そういう中、日本の民主主義と安全保障というのはいったいどうあるべきか。沖縄は長きにわたり、ある意味で日本国に尽くし、戦争中には10万人も亡くなった。終戦後は日本と切り離され、ようやく復帰しても基地の状況は0・6％に74％で一貫して変わらない。それで本当に品格ある民主主義国家としてあるべき姿ですか、ということを申し上げました。

また、日米の安保体制も、アジアで同じ価値観を共有する国と連帯して頑張るんだと言うけれど、自国民の人権、平等、自由、民主主義、そういったことを自国民にさえ保障しきれない国が、なぜ価値観を共有する連帯をつくれるのかと申し上げています。

アメリカもそうです。世界が注目する中、ひょっとすれば辺野古の基地建設をつうじて予期せぬ事故が起きるかもしれない。美しい自然と環境は間違いなく破壊される。世界的にも珍しい貴重なサンゴが死ぬ。絶滅危惧種のジュゴンも蹴散らす。民主主義の在り方という意味からも問題になるでしょう。

青木　ええ。その問題意識はもっと広く共有されるべきです。

翁長　ですから、それを訴えにアメリカに行ってくるわけです。もう日米首脳同士の会談と発表も終わったわけですから、さあ、それからどうできるかといっても、大きな権力の壁がある。

　ただ、沖縄は27年間の米軍施政権下、自治権と人権の獲得という意味では恐ろしいほどの努力をやってきた経験があります。本土のように、マッカーサー（連合国軍最高司令官）から与えられた自治権や人権の中で発想するものと、沖縄のように自ら自治権と人権の獲得に動いてきたものの発想は違います。その後の沖縄の経緯から言っても、辺野古に基地をつくらせないというパワーは、本土から見たらご理解いただけないような、大変なパワーがあるんだということを申し上げたいと思います。

　何度でも言いますが、戦後、銃剣とブルドーザーで土地をみんな取られたのですよ。１００%すべてそういう形の強制接収なんです。最初はコーラ瓶一本ぐらいの値段が1坪の土地代ということで、米軍が土地代を払っておったんですが、１９５６年には「プライス勧告」が出されました。

青木　沖縄の軍用地問題にかんしてアメリカ下院の軍事委員会が出した報告書ですね。

翁長　ええ。プライスという下院議員を長とする調査団がきて、沖縄の土地を今度は強制的に買い上げると言ったんです。当時、沖縄の人はまだ裸足で歩いたり、芋ばかり食べたりしていて貧しかった時代ですから、買い上げでお金が一時的に入るというのは、みんな本当は欲しかったと思うんです。

しかし、沖縄県民はグーンとみんな結集して、保守も革新もなく反対をして、それを蹴散らして、プライス勧告をはねのけた。基地はこれ以上つくらせないという、自分たちの自己決定権がいくらか及ぶような可能性を残したんです。

あの時の厳しさといったら、日本国憲法は当然適用されないし、児童福祉法も適用されないし、国会議員を1人も出したこともない。知事のことは主席と言っていましたし、県議は立法委員と言っていて、アメリカの高等弁務官が絶大な権力を握っている。

そもそもパスポートを持って本土に行って、琉球の漁船がインドネシア沖などで拿捕されても日本人とも言えない、アメリカ人とも言えない。いわば海賊船みたいなものに見誤られても仕方ないような状況だったんです。このような状況で私たちは生きておって、自治権の獲得のために必死の努力を積み重ねてきました。

イデオロギーの時代の終焉

翁長　その中では大変に悲惨な事件やおぞましい出来事もありました。たとえば由美子ちゃん事件。6歳の女の子が米兵に乱暴され、無残に殺害されたんです。3歳の子が暴行されて道端に投げ捨てられたり、国場君轢殺事件といった悲劇もありました。これは中学1年生の男の子が米軍の大型トラックに轢き殺された。そういう事件は起きうるのかもしれないけれど、（被告の米兵が）無罪となって帰っていってしまうんですよ。

青木　1955年に起きた由美子ちゃん事件では、当時31歳の軍曹が逮捕され、軍法会議で死刑判決を受けましたが、実際はアメリカに帰還して責任はうやむやになってしまいましたね。1963年の国場君事件に至っては無罪判決でした。

翁長　こういったいろいろなものが沖縄では、みなの名前とともに記憶に残っています。日米地位協定も大変に不平等だけど、あの27年間というのは、日米地位協定どころか治外法権だったんです。

　そうした中で子や孫を守るんだといって頑張り、自治権や人権を勝ち取ってきたパワーが沖縄にあると私は思っています。これは生やさしいものではないですよと訴え、辺野古の新基地はなんとしてもストップさせたい。

　そして日本という国がもっと立派な国になってほしい。さらには私たちも希望と勇気を持ってアジアと日本の架け橋になりたい。経済的にもその中心となって日本に貢献をしたい。琉球王朝時代、日本と中国が鎖国の体制をとっていましたから、その間を走って交易をする中、琉球の文化もつくり、生活もしてきたわけですから。

青木　翁長さんのお話をうかがうと、非常にリベラルというか、革新の立場に近いようにすら受けとめる人もいると思うのですが、従来の立場から変わったのか、あるいは変わっていないのか。変わったとすれば、何が一番大きなきっかけだったのでしょう。

翁長　私は父も兄も政治家で、保守系だったんです。戦後30年ぐらいの間に2人合わせて15回選挙に出て8勝7敗。県議選であったり、市町村長選であったり、15回やって8勝7敗です。

私の学校でも保守・革新で真っ二つに地域が分かれ、親戚までが両者に分かれましてね。私は親父や兄貴を信頼して保守のラインにいると同時に、なんで自ら持ってきたわけでもない基地を挟んで同じ沖縄県民同士が対立し、いがみ合うのかと疑問に思っていました。

ただ、保守の立場からすると、革新の側は生活というものをどう考えているんだ、基地があって生活しているんだろうと、おまえたちは何をそんなに言うんだというのが沖縄の保守だったんです。一方、革新の側は、命を金で売るのかと。俺たちの人権と誇りはどうするんだという相容れないものがあって、保守と革新、お互いがお互いを憎み合って生きてきた。

そうした中、私が感じるようになってきたのは、自ら持ってきたわけでもない基地を挟んで私たちが喧嘩している時、誰か上から笑っている人はいませんか、ということなんです。このまま喧嘩をさせておけってね。

そしてどういう事態が起きてきたかというと、朝日新聞に載っていますけれども、革新が反対をしたら保守が出てきて振興策をもらうんでしょ、という大きな誤解です。そんなことを言うものだから、私は朝日新聞の中で怒りましてね。

青木　２０１２年11月24日付の朝日新聞朝刊に掲載されたロングインタビューですね。私も興味深く拝読しました。

翁長　何を怒ったかというと、「利益誘導こそが沖縄保守の役割ではないか」などとおっしゃるものだから、そこまで振興策のことを利益誘導と言うんだったら覚悟を決めようよと。一切いらないから、基地もみんな持っていけと。「いったい沖縄が日本に甘えているんですか。それとも日本が沖縄に甘えているんですか」というのは、その時に初めて使った言葉なんです。しかし、たとえば30年ほど前までの世界は冷戦構造でした。そして、自由主義社会を守るんだというのが私の信念としてありました。ソ連が健在でありましたし、中国もまさしく共産主義国家でしたから。

　ところが冷戦構造が崩れ、日本国内でも55年体制が細川連立内閣で崩れた。当時、いろいろな人たちが自民党から出ていきましたね。その時に無節操だという話はあまりなかったと思います。新しい時代の夜明けだということで期待をし、それ以後はいろいろな曲折がありましたけれども。

　一方、沖縄は基地がある中で保革が分かれてきましたが、私は、いわゆるイデオロギーでやるような時代はもう終わったと思うんです。ゴルバチョフさんが沖縄に来たでしょう、それだけでもかつてとは話が違う。自由主義社会を守ると言ったって、ソ連はロシアになって、中国は経済大国になっているというのに、ここで昔と同じようにイデオロギーがどうのこうのというのは話にならない。

　そうした中、沖縄は何を大切にするかと言ったら、0・6％に74％が置かれていることに対する大変な憤りと矛盾、まずはこれを訴えないといけない。でないと、また70年間も、100年間も、子や孫にこういったものを残してしまう。これではいくらなんでも理不尽でしょうということを強く強く訴えていかなければならないんです。

私自身、右だった姿勢を真ん中へ持ってきた

翁長　それでもここしばらくを振り返ってみると、私としては、8年前の教科書検定が大きな転機になったように思います。
青木　8年前の教科書検定というと、第一次安倍政権下の2007年、高校生が使う日本史教科書の検定をめぐる問題ですね。沖縄戦における「集団自決」について、「日本軍の強制」という部分が検定で軒並み削除されそうになりました。「自虐史観」を批判してきた安倍政権の意向が反映されたものとも指摘されましたね。これが翁長さんの気持ちを動かしたと。
翁長　これまで沖縄では、日本軍が手榴弾を渡し、沖縄県民はそれを手に集団自決したことを事実として私たちも聞いているし、まったく嘘偽りない歴史的事実でもあるわけですが、それ

を教科書から消そうとしたんです。日本政府がね。

だから10万人が集まって「それはいかん」と訴えた。史実を曲げたら、これ以降、基地をあずかる沖縄としても、その歴史教育にはとても耐えられませんといって10万人が決起したんです。そこが私は一番の分岐点だったと思っています。その時に初めて私は保守の政治家として反対運動の先頭に立ち、その時はイデオロギーよりアイデンティティとは言いませんでしたが、絶対に歴史を曲げてはいかんということを必死に訴えました。

その後、4年前の仲井眞（弘多）さんの知事選の時、もうこういう時代でしょうということで、普天間の県外移設ということを私が話をし、仲井眞さんも最初は躊躇していましたけれども、そうだなということになって政策の大きな柱に県外移設というのを入れた。そして私が選対本部長を引き受けて当選し、2年半ぐらいまでは仲井眞さんもしっかり話をしていたんですが、何が起きたかわかりません、グルッと変わってしまった。

そのころからオール沖縄でなければいけない、もうイデオロギーではない、アイデンティティだということを言いまして、私自身が右の姿勢を真ん中に持ってきたんです。持ってこなければ沖縄は変わらないという想いがありましたから。

ただ、革新の皆さんがいらっしゃった時にも、私は注文を付けました。あなた方とは立場が違うんだと。私は日米安保体制を重要だと考えている。ただし辺野古につくらせることに反対なので、その件については一緒にやるけれども、それ以外は違うから、あなた方も各政党いろいろ考えがあるだろうけれども、ちょうど私が右から真ん中にきたのを、腹八分、腹六分で真ん中にきたように、あなた方も腹八分、腹六分で真ん中にこないと一緒にやれないよと言ったら、共産党も社民党もみんなオーケー、わかりましたということになったから共闘が成立したんです。

青木　そもそも、保守といっても本土の自民党と沖縄の自民党にも微妙な違いがありますよね。

翁長　違います。まず歴史が違います。沖縄と日本の歴史が違うし、戦後の政党の中でも、沖縄は27年間、沖縄自由民主党と言っていたのであって、その意味では友党ですが、また違っていたんです。

そして日本の保守、自民党というのは、日米安保が大切、日米同盟が大切、それが一番のベースです。一方、沖縄の政治家はどう考えるかというと、沖縄一県に74％もの米軍基地を押しつけ、70年前の戦争で10万人も死んで、数年後にはサンフランシスコ講和条約で切り離された。そして60何年経ったら万歳三唱で4・28をお祝いする。そんな人たちに沖縄を差し出すということの恐ろしさが、どうしても拭えないんです。

青木　「4・28の万歳三唱」というのも、安倍政権下の２０１３年の出来事でしたね。おっしゃるように4月28日といえばサンフランシスコ講和条約が発効した日ですが、安倍政権はなんとこれを「主権回復の日」と名づけて「記念式典」を開きました。憲政記念館での式典には国会議員を含む約４００人が出席し、三権の長のほか天皇・皇后も招かれましたが、野党から

「天皇の政治利用だ」という批判があり、天皇式辞はありませんでした。ただ、閉会後に「天皇陛下万歳」という声が起こり、壇上の安倍総理らも唱和して……。あの場面には私もあぜんとしました。

翁長　私は、サンフランシスコ講和条約の二の舞のようなことがあったらと懸念してしまうんです。沖縄が独立するなどという心配をするより、何かことが起きたら、日本はまた沖縄を切り離すんじゃないかという恐怖心の方があるんですよ。

そこまで言うと、沖縄の気持ちをわからない日本の人びとは、そんなことするわけないだろうと言うかもしれませんが、それじゃあサンフランシスコ講和条約は何だったんですか。あれだけ日本政府のために尽くしてきた沖縄を切り離し、米軍の施政権下に置いた。その当時と日本国民の価値観は変わっているんですか。0・6%に74%もずっと押しつけ、名護市長選も、県知事選も、衆議院の全選挙区でも辺野古はダメだ、ノーだと言っているのに、一切構わず「粛々」と建設を進めていきますという、あの菅官房長官の姿勢の中に、私は日本の政治の在り方というものを見るんです。

これをどこからどういうふうに変えていったらいいのか。沖縄だけで日米両政府の権力というものを変えることはできないけれども、勝てるという要素はないけれども、しかし、沖縄はそれを主張する権利がある。それこそが日本が変わる道になり、本当の民主主義を確立することにつながり得るし、しっかりとして強固な日米同盟の中からアジアや世界に発信ができるようなものになるんだ、ということでやっているんです。

青木　なるほど。お話をうかがい、翁長さんの現在のお考えや立場は非常によくわかりました。

翁長　沖縄の自民党だったのに何で変わったのか、と問われることに対しては、やはりこれだけの話をしなければわかっていただけないものですから、言わざるを得ないんです。

イデオロギーよりアイデンティティ

青木　お話をうかがっていてあらためて感じたのですが、むしろ本土の保守、つまり自民党の方が変質してしまったのではないでしょうか。沖縄から見れば極めて不十分だったかもしれませんが、たとえば野中広務（官房長官、自治相、自民党幹事長などを歴任。故人）さんにせよ、梶山静六（通産相、法相、自治相などを歴任。故人）さんにせよ、あるいは小渕恵三（元総理。故人）さんにせよ、沖縄に対しては深い想いを抱きながら政治に向き合っていたそうです。それがどれだけ具体的な形になったかは別としても、少なくともサンフランシスコ講和条約が発効した日に「記念式典」を開いて「万歳三唱」をするような無神経さはなかったように思います。

翁長　おっしゃるとおりです。山中貞則（沖縄開発庁長官、防衛庁長官、通産相などを歴任。故人）先生が、1609年に薩摩が琉球を侵略して、そして1879年の琉球処分で琉球は日本に併合されたというようなことまで言及をされて、「私は薩摩の人間だから、沖縄には大変申し訳ないと思っている。だから命をかけて沖縄問題に携わるんだ」ということで屋良朝苗（琉球政府の行政主席を経て復帰後初代の沖縄県知事。故人）先生と台湾で師弟関係になったこともあります。

それは野中先生や梶山先生、小渕先生、そして橋本龍太郎（元総理。故人）先生もみんなそうでした。野中先生なんかは、基地問題の話をする時は「すまん、翁長君。申し訳ない。よろしく頼む」と言って、一回生の県議にすぎない私にまで深々と頭を下げるんです。そういう中から「おまえたちの気持ちはよくわかるけど、日本は今これしかできないんだ」というようなものがくみ取れるので、沖縄から基地を取り払ってくれませんかと言いたい気持ちでもあるんだけど、現実的にはなかなか大変だなと当時は思わされたんです。

一番びっくりしたのは後藤田正晴（官房長官、自治相、自民党副総裁などを歴任。故人）先生です。長く日本政治の最中枢にいて、なかなかそういうことに触れなかった後藤田先生が引退されて、たしか先生が89歳ぐらいの時の話ですけれど、15分ほどの予定で話をさせていただく機会がありました。ところが、15分のつもりが1時間を超える対応をしてくれたんですね。田中角栄（元総理。故人）先生のこと、中曽根康弘（元総理。故人）先生のこと、山中先生のこと、いろいろな話をして、50分ぐらい経ったところで、ふと後藤田先生が「オラはな」、本当にこんな言い方でした――「オラはな、沖縄には行かんことにしてるんだ」とおっしゃったんです。

これは沖縄が後藤田先生に何か失礼なことでもしたか、言ったのか思ったら、そうじゃなかった。「沖縄県民に申し訳なくてな。顔を見きれないんだよ」と。こういう話を後藤田先生がされたんです。あのころの政治家というのはそういうことをみんな胸に抱いていた。過去の歴史への真摯な反省と洞察がありました。

ところが最近はどうですか。4月28日に「記念式典」を開いて万歳三唱するなんて考えられません。

私は、安倍さんの「積極的平和主義」にも懸念を抱いています。沖縄には基地が集中していますから、紛争が起きれば真っ先に重大な影響を受ける。だから尖閣の問題も平和的に解決してほしいと訴えている。すると「中国のスパイじゃないか」とか、娘が中国に留学しているとか、一部のメディアなどに根も葉もない噂を流されてしまう始末です。

青木　僕自身、安倍政権の「積極的平和主義」とか、集団的自衛権の行使を容認する安全保障法制には重大な危機感を抱いています。対中、対アジア外交もそうです。

いずれにせよ、いまの自民党はかつての自民党からかなり変質してしまったという印象を翁長さんも持たれているわけですね。

翁長　ええ。時代が変わったというぐらい変わりました。これに沖縄の保革が分かれていては対抗しきれない。やはりオール沖縄。イデオロギーよりアイデンティティ。先祖がつくってきたり、大変な苦労を乗り越えてきた歴史を経て、沖縄は武器のない中、木の葉のように大国の間で揺れ動きながら、文化や芸術や言葉をしっかりと残してきた。そして琉球人としての誇りを失わないでやってきた。27年間、米軍の施政権下にあってもへこたれないでやってきました。

西銘順治（外務省勤務などを経て政治家になり、沖縄選出の衆院議員や沖縄県知事などを歴任。故人）先生は「ヤマトンチュになりたくて、なりきれない心」を沖縄の心としておっしゃいました。私は最近、（沖縄の）41市町村長、41市町村議長、全県会議員が「（辺野古への基地建設は）やめてください」と言っても一顧だにしないところを見ると、むしろ本土の方が私たちを寄せつけないのではないか、というものを感じはじめています。

そういうことをいうと、独立ですかと言われたりする。しかし、独立などというのはとても考えられる話ではない。ならば日本という国の在り方をどうやって変えるかという時に、沖縄側から変えるようなものでなければ、日本という国は変わらないままどこかにいってしまうんじゃないかと。その象徴的なものとして辺野古に新基地はつくらせないという中に政治の大きな変革の原点をつくれば、沖縄のためにもなるし、そして日本国のためにもなるのではないかと思うんです。

そして沖縄が平和の緩衝地帯になったら、まさしく沖縄も日本に貢献をしながらアジアと日本の架け橋となって、アジア全体の平和にも貢献できるような時代が来るのではないかという、夢みたいな話を、辺野古への基地移設反対に託してやっているところもあるんです。

それでもめげないことに、人が生きていく価値がある

青木　辺野古の問題、普天間の問題というのは、日本の民主主義を問う試金石にもなるということですか。ならば沖縄の圧倒的民意を無視して強引に推し進めてしまうのか、それとも辺野古の問題を起点に真の民主主義を形づくれるのか。そう考えながらお話をうかがっていると、つくづくと感じてしまうことがあります。日本は……というよりも本土の私たちは、本当の意味での民主主義を勝ち取ったことがなく、いまだにそれを打ち立てられてもいないのではないか、と。

私はかつて通信社の特派員として韓国に駐在したんですが、朝鮮半島から眺めると、戦後の日本のまた別の姿が浮かびあがります。たとえば先の大戦後にヨーロッパでは敗戦国のドイツが分断され、苦悩の末にようやく統一を果たしています。一方、アジアでは植民地にされた朝鮮半島が分断され、300万人もの人びとが命を落とした朝鮮戦争の大惨禍があり、いまなお統一は果たされていません。その韓国には首都ソウルにも広大な米軍基地があって、人びとはその壁や鉄柵と毎日向かい合わざるを得ない状態です。

つまり戦後の日本、本土の私たちは、分断の苦しみも基地の矛盾もすべて朝鮮半島や沖縄に押しつけ、そういうものと真正面から向き合わないできた。しかも戦後の高度経済成長は朝鮮

戦争が大きな跳躍台になりました。要するに本土の人たちは、すなわち私たちは、見たくないもの、向き合いたくないものをすべて周辺に押しつけ、自分たちは果実だけを貪り食いながら、与えられた民主主義まがいのものを謳歌してきただけなのではないか。だからこそ、民主主義や人権、自治の大切さといったものを真剣に考えてこなかったのではないか。そんなことを思ってしまうのです。

翁長　歴史問題でも、一番敏感なのは沖縄です。８年前の教科書検定問題で10万人も集まったというのは、日本国民の一員として頑張っていっている中でもこういう問題には敏感に反応するからです。韓国も中国もそうでしょうが、（過去の歴史を）忘れられない気持ちは残っている。そうした中、村山談話とか、河野談話とか、いろいろありますけれども、そこから離れていこうとする安倍政権の動きは危うさがあります。

沖縄の場合、過去の歴史に対するわだかまりは、普天間が返されたらだいぶ緩和されると思います。今１００のわだかまりがあるとすると、20ぐらいに下がるんじゃないでしょうか。それは歴史が消えるのではなくて、もうこれは封印しようやと。忘れるという意味ではなく、置いておこうと。これを言っていたらものごとは生産的にはじまらないでしょうという話になる。

しかし、０・６％に73・８％というような状況にずっと置かれると、いつまでも差別してるんだなとなって、しょっちゅう歴史（問題）が戻って非生産的な話になる。普天間が解決をしたら、私は相当緩和すると思います。

だから最終的な結果がどうでるかは置いておいても、沖縄が主張し、一個人としての私も主張し、知事としての私も主張して、県民と一緒に行動する。結果として大きな壁に当たってまた落ち込んでしまうのか、それはわかりません。それでもめげずにやるというところに人が生きていく価値があるのであって、それが難しいからといって一歩でも下がろうものなら、これは子や孫のために責任を持った政治というものにはなりません。

青木　ただ、現時点では日米両政府ともに辺野古埋め立ての方針を変える気配はまったくありません。安倍政権は埋め立て強行の姿勢です。

翁長　そうですね。しかし、強行した時には日本にとってもアメリカにとっても取り返しのつかない痛手になりますよ。基地はこういう形で県民を蹴散らしてつくるようになると、日米の安保体制が品格のない、誇りのないものだと世界中に発信されてしまいます。

青木　そのアメリカをこれから訪問されるわけですが、ことここに至ったら沖縄の気持ちをきちんとアメリカに伝えるしかないという想いは非常によくわかりますし、ひょっとするとアメリカの方がむしろこれはつくれないんじゃないかと思い始めているのではないでしょうか。沖縄県民の実に8割が反対していて、名護市長選、知事選、衆院選、すべてで反対の意思表示が明確に示されているわけですから、こんなところにつくるのは無理じゃないかと。訪米にあたっての抱負と、これからの予定についてお話しいただけますか。

翁長　これは今回行ったから劇的に変わるということもないと思います。ただ、建設を強行すればは日米安保体制とか日米同盟というのは大変な暗礁に乗り上げていく。ここのところをしっかりと予見もしながら訴えたら、変わる可能性があり得るかもしれない。そういう意味でも、しっかりと主張してこなければいけないと思っています。

なんとしても辺野古移転を阻止する理由

鈴木　お話を聞いていてちょっと懐かしくなってしまいました。というのは、翁長さん、僕と同世代ではないかと思うんです。

翁長　私は昭和25（一九五〇）年生まれです。

鈴木　僕は23（一九四八）年生まれですからやはり同世代ですね。そうすると何が懐かしいかというと、この世代は学生時代の考え方をまだどこかに秘めている。

翁長　学生時代、私は三島由紀夫ファンでした（笑）。

鈴木　そうでしたか。この世代は学生時代の理想を捨て切ることができていないので、そこだけ取ればちょっと能天気なんじゃないかとか、そういうことを言う方もいらっしゃるかもしれません。しかしそうすると、翁長さんを支えているものっていったい何なのかなとちょっと思ったんですが。

翁長　一番支えているのは県民だと思います。私が今度の知事選で当選した時、一番に言ったのは、やっと政治が沖縄県民に近づいたな、ということでした。これまでは自民党だ、社民党だ、共産党だと言って、自分たちの議席を1議席増やすのに必死になる。それを毎回繰り返す選挙で何が変わったかと。やはり沖縄というものを変えてもらいたいということからすると、保守も革新もなんとか心を一つにして、ものごとを一つに絞って解決してくれないかと県民は思っている。その意味で私は県民の想いを提示していると自信を持っていますが、結果的に政治がそういうふうになったということは、やはり県民の考え方が熟したからだと思うんです。

鈴木　辺野古の問題は将来の日本をどうするかにつながるというお話でしたよね。すごく興味深い。とにかく翁長さんのお話を今日うかがってよくわかったのは、理想は理想として掲げつつ、一方で大変なリアリズムというのか、現実主義的な考えをお持ちになっている。

翁長　日米安保体制は重要だと私は考えます。日米同盟も大切だけど、なぜ沖縄の０・６％にこんなに（米軍専用施設を）置くのかと。

鈴木　辺野古反対、勝算はどうでしょう。要するに勝てるか、勝てないか。

翁長　最終的に勝ち負けをどこで定義するかなんです。頑張っておられる方たちはゼロを求めています。しかし仮に１６０ヘクタールの埋め立てを強行して、途中、30ヘクタールの残骸が残った時に、沖縄が勝ったのか、負けたのか。日米両政府が勝ったのか、負けたのか。

　その意味では、基地ができなかったということだけを考えるのであれば勝てます。これは勝てる。だけど、結果的に海を荒らされて、ジュゴンがいなくなって、環境問題がおかしくなって、それを勝利と言えるかというと、言えませんね。

最終的には基地を10年以内に完成させる予定として日米両政府は考えていますが、これは順調に行っても、15年から20年はかかる工事です。その時まで安倍政権が続いているとは思えません。そしてもし政権が替わったとしたらどうなるか、引き継ぐのかやめるのか。政権が替わったら変わることもありますから。

そもそも私にとって政治にかかわることの意味は那覇市長を務めることでしたから、これを4期14年もやって、これ以上望むものもありません。だから自分が表に立つことはやめて下から支えようとしたんです。仲井眞さんの選対本部長をしたのもそのためです。しかし、仲井眞さんは変わってしまった。ならばここで自分の政治生命を賭けて、死んだっていいじゃないかと思っています。私の座右の銘は「身を捨ててこそ浮かぶ瀬もあり」ですから。

鈴木　それは困る（笑）。

翁長　はい（笑）。でも、このＤＮＡは残っていきます。県民が一つになったという経験は、これがあったという事実は、その次の、またその次の世代へと確実に残っていく。今の20代、30代の新しい感覚に、歴史を背負ってきた僕らの世代が歴史に残したものが加味されると、彼らは彼らなりにまた動く部分が出てくる。そのためにも今の政治というのがいかに大切か。

また、沖縄のこれまでの歴史と現在を踏まえると、沖縄の人間は平和の尊さと戦争の悲惨さを一番よくわかっている。0・6％に73・8％も米軍施設が集中している以上、何かあれば真っ先に影響を受けるのも沖縄です。日常から非日常に変わっていくことの恐ろしさをよくよく考えなければいけないと思います。

そこまで言うと、おまえは誇大妄想だよと言われるんです。でも、日常から非日常に変わる瞬間というのはね、これはもうだいたい話は終わってしまっているんですよ。それを止める術というのはない。だから沖縄県民を守るためにも、そして日本という国に変わってもらうためにも、なんとしても辺野古移設は止めなくてはならないと決意しているんです。

（2015年5月21日）

翁長雄志（おなが・たけし）

1950年、那覇市（旧真和志村）大道に生まれる。1969年、沖縄県立那覇高等学校卒業。1975年、法政大学法学部法律学科卒業。1985年、那覇市議会議員に初当選。1989年、那覇市議会議員に再選。1992年、沖縄県議会議員に初当選。1996年、沖縄県議会議員に再選。2000年、第28代那覇市長に就任（1期）。2004年、第29代那覇市長に就任（2期）。2008年、第30代那覇市長に就任（3期）。2012年、第31代那覇市長に就任（4期）。2014年、沖縄県知事選挙立候補のため那覇市長を辞職、沖縄県知事選挙により、第7代沖縄県知事に就任（1期）。2018年、死去。

第2章

美輪明宏

無知で傲慢な政治から、平和で知的な文化へ

美輪明宏という稀代のエンターテイナーには、ひょんな縁があって幾度かインタビューする機会を得た。本対談集に収録したのは何度目かのインタビューにあたるが、凡百の知識人よりもはるかに鋭く辛辣で、同時に滋味深い言葉を発する美輪に私はいつも圧倒され、うなずかされてばかりだった。

それはおそらく生地・長崎で幼少期に被爆した峻烈な戦争体験に加え、芸能という異界に生きながら長年蓄積してきた実践的な知性のゆえだろう。本インタビューにも、そのエッセンスが凝縮されている。たとえば——。

沿岸をなぞるように原発を50基以上もつくってしまった国が戦争なんてしたら一発で終わり、この国は全滅し、1万年も2万年も人が生きられなくなってしまいますよ。それにいまやアメリカの国債を一番持ってるのは中国だというのに、アメリカとくっついていれば大丈夫なんて甘すぎます。なのに戦争をしたがっているような政治家は自ら率先して鉄砲を担ぎ、鉄兜をかぶって第一線に出ていけばいいんです。もちろんその子や孫やきょうだいも、全員が一兵卒としてね——。

同性愛を認めないなどという態度は知的でもなく、自然の法則にも反しています。この国だってもともとは性的におおらかだったのに、反知性的な軍国主義などがそれを押しつぶしてしまった。だからたとえば司法試験の最終段階に水商売への従事を義務づければいいんですよ。人間が裏の裏までさらけ出すのが水商売ですから——。

詳細は本文に譲るが、いずれもまことにごもっとも、さかしげな反論など通用しない。かぶきものと呼ばれた由緒正しき芸能者がこの国の現在に残っているとするなら、美輪明宏こそがその数少ないひとりだろう。そういえば美輪が何年か前、年末恒例とされる歌番組で歌った『ヨイトマケの歌』は、つまらぬ学芸会と化していた件の歌番組に本物の芸で鉄槌を食らわす痛快事だった。

青木　今日はよろしくお願いします。

美輪　こちらこそ。

青木　お目にかかるのは久しぶりですが、一時、体調を少し崩されていたんですね。

美輪　去年ですけれどね。コンサートの後で、過労だったんです。

青木　いまはもう。

美輪　ええ、大丈夫ですよ。

青木　では、早速。このインタビューでは、僕が話を訊きたいと思う方々にどんどん話をうかがっていこうと考えているのですが、戦後70年がテーマです。戦後70年、今の日本の状況を美輪さんがどのように捉えているかをうかがわせていただけませんか。

美輪　ひとくちには言えませんよね。

青木　それではまず、世代についてです。70年は人間の平均寿命に近い数字です。当然ながら先の戦争を経験した世代がどんどんいなくなっていきます。

美輪　私の弟は、昭和15（1940）年生まれが1人、その次が17（1942）年生まれです。彼らは（終戦時に）赤ん坊でしたから、うろ覚えなんですよね。鮮明には覚えていないんです。その下はもっと覚えていませんしね。

まして安倍（晋三）さんなんて戦後生まれ。戦争をまったくご存じない。だからああいうことをしたり、しゃべったりするんでしょう。それに岸（信介）さんの孫で、大叔父さまが佐藤榮作さん。そういう環境が習い性となって、〝家霊《かれい》〟みたいなものに取り憑かれているのではないかと思いますよ。作家の岡本かの子の作品に『家霊』という短編があるでしょう。家の因習とか。だからご自分の意志で動いているというのは、ごくわずかではないでしょうか。家の因習とか、そういうものにあやつられ突き動かされている。そんな感じがしますね。

青木　その安倍政権が、集団的自衛権を行使するんだといって安保関連法案を強行しようとしています。主に米軍の手先となって自衛隊をもっと海外に出そうという動きです。どうお考えですか。

美輪　私は笑ってますね。学習能力がないということでしょう。第二次大戦と同じ。歴史に学んでいないんです。

日本は、実は戦争ができない国、不可能な国です。大正10（1921）年に暗殺された原敬（明治、大正期の政治家。1918年に首相として最初の政党内閣を率いた）が言っていたように、日本には何の資源もない。石油も鉄もニッケルも、何も採れない。食料自給率もいまや40％を切って、ほとんど輸入に頼っている。

ではアメリカはどうだったのかと言ったら、今はともかくとして、あの（第二次大戦の）当時は石油ブームで、噴き出すようにあっちもこっちも油田があって、無尽蔵に石油が出ていた。軍事力、経済力、文明力、国力、すべてが横綱クラス。それに赤ん坊が戦いを挑んだようなものですよ。

青木　それでも日本は軍部を中心に無謀な戦争へと突き進んでしまった。

美輪　バカな話です。こっちは飛行機が1機撃墜されたら、次は作れない。鉄がないんですから。お寺の鐘を持っていったり、家庭の鉄鍋や五右衛門風呂の風呂釜まで供出させられて、ついには木で飛行機を作ったんですよ。大村航空隊で。私、見に行きましたけど、笑っちゃいますよね。まるで竹とんぼ。

とにかく知力が足りないんです。あるのはやまいだれの方の「痴力」。あとは情念。それだけ。なんでそうなっちゃったのかっていうと、日露戦争でなまじ勝っちゃったからです。なぜ勝ったんだろうといったら、当時はロマノフ王朝がガタガタで、国が乱れに乱れていた。革命が起きたりして、日本はそれにつけ込んだ。

それは勝ちますよ。相手はヨロヨロなんですから。それで勝った勝ったで提灯行列をやって、勢いづいちゃった。原敬の言うことに耳を傾けていればよかったんです。山本五十六だって対米開戦に反対していたでしょう。

青木　そのとおりですね。

これからの日本の目指すべき方向とは

美輪　だってあのころ、私たちは竹槍を作らされていたんですよ。戦国時代じゃあるまいし。

女の子は長刀《なぎなた》、私たちは竹槍。女の子は、敵が上陸してきたときの金玉の握りつぶし方まで長刀の先生から教わって（苦笑）。なんていう知力のなさでしょう。向こうは原爆や水爆まで作っていたっていうのに。私が進駐軍のキャンプ回りのときに兵隊から聞いた話ですが、向こうでは兵隊は1人1万ドル分の弾を使っていいと言われていたんだそうです。

青木　そうなんですか。

美輪　ええ。つまり物資は豊富、武器も豊富、食料も豊富。日本の兵隊はほとんど大半が飢え死にですよ。またそれと同じようなことをやろうとしているわけです。ただ、時代と状況は違いますからね。

青木　ええ。今度は世界最強のアメリカとくっついていれば大丈夫というような発想というか、はっきりいえば、アメリカのポチ、手先になろうとしています。

美輪　そんなに甘く考えていたら大間違いですよ。だって、前はアメリカ国債を世界で一番持っているのは日本だったけれど、それが追い抜かれちゃって、中国が世界一になった。最近、中国の景気がちょっと減速して日本がまた抜き返したけれど、それでも中国はアメリカ国債を大量に保有しています。アメリカ経済をガタガタにしようと思ったらできる。

　なのになんでアメリカが日本だけの味方をしてくれます？　甘いですよ。それに、（安保法制では）後方支援といっているけれども、要するに兵站《へいたん》でしょう。

青木　おっしゃるとおりですね。後方支援という言葉でごまかそうとしていますが、物資や兵力、武器を輸送する兵站活動は、立派な戦争行為の一環です。

美輪　その兵站を叩くのは戦争の常道です。そこらへんのシビアさというのは、戦時中を知る人間でないとわかりません。戦争ってそれぐらい卑劣なものですから。

もう一つ、日本は抑止力を自分たちで作っちゃったんです。原発ですよ。日本の沿岸をなぞるように50数カ所も原発を作っちゃった。今は特攻隊の時代じゃない。ミサイルや無人爆撃機の時代です。原発を狙われたら一巻の終わり。石破（茂）さんが徴兵制は憲法違反じゃないとかおっしゃったみたいですけれど、徴兵制なんていりませんよ。兵隊を1人も出さなくたって、たった1日で片がつきます。ミサイルなり無人機なりで日本中にある原発を破壊すれば日本は全滅。この国がなくなるんです。あと1万年か、2万年は使えない土地になっています。放射能だらけで。

青木　2つか3つの原発がやられるだけで日本は破滅でしょうね。

美輪　福島だけでもいまだにどうにもならないでいるでしょう。まだゾロゾロ放射能が出ている。しかも核廃棄物の捨て場所がない。戦争もヘチマもないのに、どうしてこんなことになっているかといえば、ひとつは軍需産業の存在です。世界中、アメリカもヨーロッパも日本も、軍需産業で食べている人たちがいっぱいいる。家族も含めると膨大な数。制服から軍靴からヘルメットから銃弾、薬、武器、ジープやジープのタイヤからすべてですよ。膨大な数の連中がそれで食べている。だから戦争がなくなったら困る。

青木　安倍政権は武器輸出三原則も捨て去りましたからね。今後は世界の軍需産業の一角にもっと積極的に加わろうというわけです。

美輪　その政府の連中を担いでいるのは誰か。国民ですよ。だっていまだに安倍さんの支持率が50％以上もある。選挙で投票した人たち、支持している人たち、よほど戦争で自分の夫や子どもや孫や恋人、兄弟、お父さん、みんなを殺したいんでしょう。だから投票したんでしょうから。

青木　世論調査などを見ると、ひとつにはちょっと経済が良くなっているんじゃないかっていうのが支持の理由のようです。

美輪　経済なんて良くなってます？　良くなっているのは株だけでしょ。株なんていうものは博打と同じ。実体経済とは関係ない。競輪、競馬、パチンコと同じですよ。

青木　では日本はこれからどういう方向を目指すべきだと考えますか。

美輪　原敬が言ったように、日本は何の資源もない。でも人的資源はある。これはすばらしいものがある。それから文化。それで世界に伍していけば怖いものはない。あとは日本が一番苦手な外交。日本は鎖国をしていたから外交がダメなんですが、つまりは知力です。文明力とか、文化力。美術、文学、音楽、商品開発。飛騨高山のからくり人形を昔から作っているように、手先が器用だし、発明力がある。そういう文化力でやっていけば、怖いものはない。苦手な外交をもっと磨いて、狡猾になればいいんです。

提供する側、与える側のメディアの責任

青木　ところで、戦後70年というのは、まさに美輪さんが生きて活躍されてきた時代と重なるわけですが、どんなふうに評価されていますか。

美輪　よくやってきたと思います。こんな治安のいい国というのはなかった。世界に誇る国になったと思います。ラッキーだったこともあります。戦争に負けて、終戦当時はドン底だったけれど、幸か不幸か朝鮮戦争で軍需景気になって、今度は神武景気。私はそのときにスターになったんですけどね。神武以来の美少年といわれて。

そして家もボツボツ建って、三種の神器じゃないけれど、冷蔵庫から、テレビから、いろいろなものが揃っていった。服装も整った。これは別に政府が偉いんじゃなくて、国民が闇市を開いたり、物々交換したり、物資の横流しだとか、あらゆる知恵を絞って生き抜いてきたわけです。

本当によくやってきたと思います。ただ、アメリカ文化が入ってきたのはけっこうだけど、粗悪な文化もなだれのように入ってきて、各企業も金儲けだけのために、それに全部歩調を合わせた。三島（由紀夫）さんも、川端（康成）さんも、それを憂えていらしたわけです。そして、言葉が汚くなってきた。

青木　それは先日もおっしゃっていましたね。

美輪　そう。「ごめんあそばせ」。これらが全部なくなって、死語になって、最近は「やべえ」。ゲームソフトも手が飛んだら何点、首が飛んだら前へ進める。小さい頃からそういうゲームに浸っているから、バーチャルとリアルの区別がつかなくなっちゃう。

　音楽だって8ビートとか2ビートとか、リズムはそればっかり。昔はボレロがあって、マンボがあって、ルンバがあって、それからフォックストロットとか、ワルツもあって、ビギンがあり、とにかく幅が広かった。リズムも、メロディーも、多岐にわたっていました。今はとにかく叫んで、喚いて、走り回って、それだけでしょ。

　ファッションだってアメリカの猿真似。ズボンのベルトを外して、とにかくダボダボの、足が50センチぐらいにしか見えないようなはき方をするでしょ。でも、あれは囚人が刑務所へ入るときにベルトを抜かれる、それの真似をしているんです。アメリカの一流ホテルでは、ああいう格好の人はロビーに入れてくれませんよ。

　つまり、あらゆる面で知力というのが遠くに押しやられてしまって、薄っぺらな情念だけが前面に出てきてしまっているんです。

青木　人間には情と理とがあって、理が情を制御しなくてはならない場面でも情に流され、ワーッと右へ行ったり、左へ行ったり、そういうことが増えているのは実感します。

美輪　退化しているんですよ、人間は。進化しないで、どんどん退化して、原始に近くなってきている。

青木　美輪さんはインターネットのサイトなどはご覧になるんですか。

美輪　いいえ、見ません。ただ、「紅白歌合戦」などに出演するとネットの反響があるでしょう。ああいうものはまとめて持ってきてくれる人がいるので、それは拝見しています。でも自分ではやりません。危険ですから。

青木　危険というと？

美輪　だって個人情報が漏れる。いくら防御しても漏れる。トラブルだって、あっちこっちで起きている。だいたい、私はそんな暇はないし、それに煩わされたくないですし。

青木　とはいえ、確かにネットは便利で、検索すれば当座の答えが示される。自分が賢くなったように錯覚する向きもあるでしょう。

美輪　でもすぐ忘れるでしょ。チラッと見て、ああ、そうかと。次の瞬間、もう忘れてますよ。辞書を調べ、書き写したりするのとは全然違う。じっくり本を読んだり映画を見たり、そうして触れ合ったことは容易に忘れませんよ。血肉になっていきます。ネットでお手軽に調べたことなんて、パッと見て表面的な納得をして終わり。

　でも、本当はみなさん、本物を求めているんだと思うんです。求めていることは求めているんです。だから「ごきげんよう」があれだけ流行ったんじゃないでしょうか。

青木　ＮＨＫの朝の連続テレビ小説「花子とアン」ですね。美輪さんがナレーションを担当し、毎回最後に美輪さんがいう「ごきげんよう」の台詞は２０１４年の流行語大賞（ユーキャン新語・流行語大賞）にも選ばれました。

美輪　丁寧語、謙譲語、尊敬語。こういうものを教えてほしいという問い合わせがずいぶんあったんです。だからみなさん、本当はいいものを求めているんですよ。つまり提供する側、与える側の責任がある。政治も、メディアも含めてね。

青木　僕もメディア側の人間ですが、本当に求められているものをきちんと提供していないということですか。

美輪　新聞記者も言葉を知らないし、テレビだって無神経な人が多すぎます。ディレクターもプロデューサーも馬鹿。トーク番組なのに、後ろでけたたましい音楽がなりっぱなし。人がしゃべっている時にけたたましい音楽をかけるなんて常識じゃ考えられないですよ。

日本国憲法は日本人が作った

青木　そのメディアの話ですが、最近は萎縮とか自粛が現場にはびこっているようです。政権から圧力を受け、世間のメディア批判も根強く、びくびくと首をすくめ、伝えるべきを伝えられない状態だと。

美輪　戦前なんてもっとひどかった。とにかく暴力は怖いですからね。二・二六事件だってそうでしょ。犬養毅（明治から昭和初期の政治家。１９３１年に首相となったが、翌年に五・一五事件で暗殺された）もそうだけど、そういう人、みんな殺されるんですから。

それ以外でも、ちょっと華やかな京都の、縫い取りのある素敵な友禅なんか着ているでしょ。そんなの着てたら、戦時中は警察へ引っ張っていかれました。戦前も、モダンボーイといって長髪の男性はいました。それもジャキジャキに丸坊主。色も全部統一されて、三味線のお師匠さんなんか、この戦時下においてなぜ銃を持たぬ、三味線なんか持つのは国賊だ、貴様はオカマか、と引っ張っていかれて三味線を叩き割られて。

あるご夫婦は近所から密告されて、二村定一さんが歌っていた『アラビアの唄』という歌があったんですが、結婚記念日にそのレコードを聴いていたら連行されて、帰ってきたときには足が不自由になっていました。淡谷のり子さんなんか、『雨のブルース』が退廃的だといわれて、軍歌を歌えといって軍刀を突きつけられたとおっしゃっていました。なぜもんぺをはかないのかって。

青木　今の状況は、さすがにそこまではないと思いますが、この段階で萎縮しちゃうようだと、暴力の危機にさらされたら一発でしょうね。それとも、もうそういう状況が近づいているのかもしれません。

美輪　そういう方向に向かっているんじゃないかっていうことは感じます。それもこれも誰のせいです？　やっぱり国民のせいですよ。よほど自分の夫や、兄弟や子や孫を戦争に駆り立て、殺してもらいたいんでしょ。じゃあ好きになさればっていう感じです。

青木　ところで、美輪さんは現憲法について、どんなふうにお考えなんですか。まだうかがったことがありませんでしたね。

美輪　あれはアメリカのお仕着せなんかじゃありませんよ。日本人が作ったものです。

青木　というと？

美輪　明治時代に伊藤博文たちが帝国憲法を作ったでしょう。もうその時代には、日本全国のあっちこっちで憲法の草案を作った人がいっぱいいるわけです。その中の一人が四国選出の衆議院議員だった植木枝《え》盛《もり》。ジャン＝ジャック・ルソーの『民約論』（『社会契約論』）とか、フランス革命の人権宣言、アメリカの独立宣言などから全部調べ上げて、いいとこ取りして草案を作っている。ところが帝国憲法が制定され、植木枝盛の草案は取り上げられなかった。

そして終戦後、マッカーサーが憲法を作れと命じます。幣原《しではら》喜重郎内閣は帝国憲法をちょっと手直ししたのを持っていって、お話にならないとはねられた。そうしたら鈴木安蔵という憲法学者と東大の高野岩三郎、あとは思想家の馬場恒吾、こういう人たち７人が集まって、植木枝盛の草案を土台にしたものをＧＨＱに持っていった。

するとＧＨＱの連中が「日本人ごときになんでこんなすばらしい憲法が作れたんだ」と驚いて、それに男女同権とかちょっと足りないところを足して、こっちの方にしなさいということになった。だから日本人が作った憲法です。７人の学者、思想家、ジャーナリスト。だからアメリカのお仕着せと言っている連中は物知らずなんです。これは映画にもなっていますよ。

青木　なるほど。

美輪　今の憲法は日本人が作った。しかも民間の人たち。だから変える必要はない。

青木　しかし、昨今は改憲派が勢いを増しています。現政権は改憲が目標だと。

美輪　今のままでけっこうです。自衛隊を軍なんかにしたら、今度は戦争をするように仕向けられてしまいます。軍需産業の連中にね。もっと買え、もっと買えって。

青木　そういえば今度、自衛隊がオスプレイを購入するようですね。

美輪　全部軍需産業の差し金。

青木　そうおっしゃる美輪さんを形作ったのは、やはり故郷・長崎での被爆体験が大きかったのでしょうね。

美輪　それはそうです。人類で2番目の、無辜《むこ》の民衆が原爆の実験場にされたわけですから。原爆のことは、私の『紫の履歴書』（水書坊　２００７年）という自叙伝にも詳しく描いていますし、それから『戦争と平和　愛のメッセージ』（岩波書店　２００５年）という本も出していますので、是非お読みいただきたいと思います。

青木　さきほど、国民が悪いんだというお話をされましたね。

美輪　だって、支持しているんですから。

青木　そういう国民に対して何かいま、おっしゃりたいことというか、伝えたいことというのはありませんか。

美輪　別にないですね。そのときにならなければ人間というのはわからないんです。みんな「しまった、しまった」と言って、人生を終わるんです。だからみなさんも「しまった」になって、もう遅いんだけど、そうならないと目が覚めないでしょうね。

青木　人間は同じ失敗を繰り返してしまう。

美輪　そう。失敗を繰り返してばかりいる。安倍さんや、石破さんや、麻生（太郎）さんにしても、みなさん、言い出しっぺの責任を取っていただいて、徴兵制になるならば、まずご自分が、年齢に関係なく、鉄砲を担いで、鉄兜をかぶって、まず第一線に出ていただく。それから、お子さんも、孫も、兄弟も、それから娘さんのボーイフレンドも、全部一緒に連れ立って第一線に、まず最初に出ていただく。もちろん一兵卒でね。そのつもりでいればけっこうでしょ。

　それから、それに賛成している選挙民の人たちも、ご自分たちが支持して選んだんだから、選挙民もまず一家を挙げて、どうぞ出征してくださいって。男の方たちは、ご自分たちが殺し、殺されにいきたいんでしょ。どうぞ、いらしてください。それだけですよ。

昔の日本はもっとおおらかだった

青木　安保法制や改憲への動きも憂鬱ですが、もうひとつ最近気になるのは、日本社会に排他とか不寛容の空気が広がっていることです。隣国に悪罵を投げつけたり、弱者やマイノリティーに心ない差別言辞を浴びせたりする。非常に病的だと思います。そういう中、東京の渋谷区では同性婚の人たちに証明書を与えようという動きがありました。これはどう受け止めていますか。

美輪　まあ、やっと入口近くまで、門の前まできたなという感じですね。入口の中まではまだまだ。でも、門の前まではきている。

　だって、みんな小さい頃から、子どもたちだってニューハーフとか、ホモセクシュアルな人を、テレビで毎日見ているわけですよ。マツコ（・デラックス）であるとか、最近もいろいろな人たちが出ている。私も出ているわけだし。だからみんなそこにあるのが当たり前の時代になっているんです。なのに政治家とか、官僚とか、ジャーナリストとか、そういう方々は時代がずれているんですよ。意識がずれている。

青木　たしかに日本は不思議な国ですね。性的少数者がテレビなどではひっぱりだこになっている。子どもたちだってそれを喜んで見ている。ところが政治の舞台になると違う。男が一家の中心であって、女性はそれに尽くし、子どもがいて、そういう家族こそがすべての基本だ、というようなことをいう人たちの声が大きくなってしまう。同性婚どころか選択的夫婦別姓制すら認めようとせず、最近では、いわゆる婚外子の相続差別を解消するのにさえ、自民党からは「家族制度が崩壊する」と批判が噴出する有り様です。

美輪　政治家になる人たちの資質が、そういうグループの種族なんです。右翼のような価値観で育てられた人種。官公庁の連中は東大とか慶應とか学習院とか、みんなエレベーターであがった優秀校の出身で、下々の人たちが這いずり回ったり、いろいろドラマがあるのとは全然遠いところにいる。そういう連中が政界や官公庁で国の法律だとか、司法関係を仕切っている。だから法律や司法が進歩しない。遅れまくる。たとえば司法試験の最終段階に、水商売に3年間従事することを義務づければいいんです。

青木　なるほど（笑）。

美輪　そうするとね、酒癖の悪いのから、いいのから、もうさまざまな老若男女がいて、セックスの裏の裏まで全部さらけ出す場所が水商売でしょ。こんな人間がいるのかと思うのがいっぱいくるわけです。その上で司法試験の合格を決める。そうして初めて人が裁けるんです。

青木　そういえば、以前におっしゃっていましたよね。昔の日本は性的な面でもっともっとおおらかだったと。

美輪　たとえば奈良時代の孝謙《こうけん》天皇は女帝でしょ。それで弓削道鏡というお坊さんが愛人だったといわれてる。それに北条政子の鎌倉時代までは男女同権だったんです。

青木　そうなんですか。

美輪　そうですよ。女の夜這いもあったんですから。認められていた。

青木　女が男の家に夜這いにいく？

美輪　そう。夜這いを仕掛けるというのが当然でした。日本は男女同権だったんです。それが江戸時代に儒教が広まってきて、女は三歩下がって後ろを歩けとか、亭主を立てるべしというふうになって変わっていったんです。

男だって昔はもっと自由だった。戦国時代には、戦場に女を連れていけないから、お小姓が女の代わりをしたわけです。ホモセクシュアルは当たり前だった。織田信長の愛人が森蘭丸だったでしょ。前田犬千代もそうだし、みんなそれぞれ愛人を持っていたんですよ、戦国武将は。お坊さんも、お稚児《ちご》さんといって、お寺に寺小姓がいたわけです。弁天小僧は「知らざあ言って聞かせやしょう……以前を言やあ江ノ島で、年季勤めの稚児が淵、百味講で散らす蒔き銭をあてに小皿の一文字……ゆすりかたり」というふうに、男の美人局《つつもたせ》をやっていたわけです。

その後だって、元禄時代は陰間《かげま》茶屋とか、そういうものがたくさんあった。今でいうゲイバーが乱立していたわけですよ。市民権を持っていた。西郷隆盛だって島流しに遭っているとき、お坊さんと同性愛心中未遂したでしょ。別に誰も騒がないし当たり前。『男色大鑑《なんしょくおおかがみ》』という井原西鶴の同性愛の小説も堂々と世に残っているし、出雲の阿国の仲間の不破万作《ふわばんさく》とか、名古屋《なごや》山三郎《さんさぶろう》。これも全部色を売っていたわけです。男にも女にも。

青木　そういうものが儒教などのせいで徐々に衰退していってしまったと。

美輪　あとは軍国主義。女の同性愛も男の同性愛も子どもを生まないでしょう。だから国賊だと。それまではもっとおおらかだった。

政治家やメディアは、知に目覚めるべき

青木　ということはつまり、同性愛の人びとが生きにくい社会っていうのは、ロクなものじゃないということですね。

美輪　ええ。ロクな社会じゃないし、知的じゃないということです。自然の法則に反していますから。

青木　自然の法則？

美輪　ちょっと考えればわかることです。山川草木、動物、植物、花は1種類ですか？　ランだっていろいろな種類のランがある。花にはバラがあって、ユリがあって、タンポポがあって、ヒナゲシがあって、数え切れない。百花繚乱。これが自然界の姿。

　じゃあ動物は？　爬虫類だって、ヘビもトカゲもワニもいろいろいる。それを細分化すると、もっといろいろな種類に分かれる。犬はチワワがいて、ポメラニアンがいて、ボルゾイがいて、土佐犬もいる。じゃあネコは、ライオンから、ヒョウから、トラから、ペルシャ猫から、いろいろなネコがいます。なのに地球上の人間だけが、なぜ一種類でなければいけないの？　おかしいでしょう。

青木　いろいろな種類があって、多様で、それが自然なわけですからね。

美輪　そう。どの植物も動物も、みんなあらゆる種類に分かれて共存共栄しているのが、この宇宙の自然の姿でしょう。

だからヒトラーみたいに「ユダヤ人は生存しちゃいけない」なんて、自然の法則に明らかに逆らっている。だから自分も追いつめられて死ぬことになった。レーニンだってそう。ソ連共産党は自然の法則に反していた。左翼も右翼もそう。戦前の軍部もそう。

もっと自由に、みんながそれぞれ共存共栄しているのが大事なんです。同性愛者もいれば異性愛者もいるし、いろいろな人がいる。なのに同性愛を否定したり、古くさい家族観をふりまわしている連中、政治家とかメディアの連中は、無知で傲慢なのであって、知に目覚めるべきです。それこそが知力です。

青木　なるほど。僕も知力を磨くように頑張ります。やまいだれの方になっちゃうかもしれないですけれど（笑）。今日は本当にありがとうございました。長時間のインタビューになってしまって。

美輪　いいえ、どういたしまして。ごめんなさい、言いたい放題で。

青木　こちらこそ、本当に久しぶりで、楽しいひとときを過ごさせていただきました。ありがとうございました。

（2015年5月7日）

美輪明宏（みわ・あきひろ）
１９３５年、長崎県出身。歌手、俳優、演出家。小学校の頃から声楽を習い、16歳でプロの歌手として活動を始める。銀座のシャンソン喫茶「銀巴里」を拠点にクラシック・シャンソン・タンゴ・ラテン・ジャズを歌って注目を集める。また日本におけるシンガーソングライターの元祖として「ヨイトマケの唄」など多数の作品を手がける一方で、俳優、タレントとしても活躍。舞台・映画・テレビ・講演・著作と多方面で活躍。２０１２年大晦日「ＮＨＫ 紅白歌合戦」に初出場。時代を超えて愛される「ヨイトマケの唄」を披露して衝撃を与えた。

第3章　木谷明

反骨の司法人の証言録

刑事司法の世界を多少なりとも取材していて木谷明の名を知らぬ者はおそらく1人もいない。現在は弁護士として活躍しているが、かつては最高裁の調査官や水戸地裁所長、東京高裁の部総括判事などを歴任したエリート判事だった。

また、検察の意向に追随してばかりの判事が大多数を占めるなか、木谷は徹底して冷静な眼でそれと対峙し、しかも飛び抜けて優秀だった。現役判事時代に書いた無罪判決は30件以上。検察が控訴できたのはわずか1件にすぎず、その1件を含めてすべての無罪判決が確定している。

検察が起訴した際の有罪率が99・9％近いとされるこの国の刑事裁判で、これは脅威の数値である。いや、司法権の砦として検察権力の行使をチェックすべき裁判の役割を考えたとき、本来は木谷のほうが判事としてのありようの基本でなければならず、同じような判事がせめて10人いれば、この国の刑事司法はもう少しまともな姿になっていたに違いないと思う。

刑事法の泰斗にして東大総長も務めた故・平野龍一が「わが国の刑事裁判はかなり絶望的」と嘆いたのはいまから40年近くも前の１９８０年代。なのに悪弊はいまもなかなかあらたまらず、重大事件での冤罪も絶えることがない。密室で延々とつづく取り調べ。保釈を餌に自白を迫る人質司法。代用監獄や証拠隠蔽。世界の潮流に背を向けて固執される死刑制度……。

先進民主主義国の基準で見るとき、この国の刑事司法は後進国のそれに限りなく近いと私は考えるが、それがなかなかあらたまらないのはいったいなぜか。判事の世界を覗き見れば、司法官僚の頂点というべき最高裁事務総局が判事人事などを掌握し、その意向を慮ってばかりの〝ヒラメ判事〟の増殖が最大の理由とみられているものの、決してそればかりではないと木谷は言う。以下の対談は反骨の司法人の貴重な証言録である。

青木　この連載インタビューは「日本人と戦後70年」をテーマにしているんですが……。

木谷　（傍の女性事務員に）スタジオジブリからの出演要請じゃないみたいだね。安心して（笑）。

一同　（笑）。

木谷　で、どんなことを訊かれるんですかね。

青木　木谷さんには是非、戦後70年の刑事司法についてお話をうかがいたくて。

木谷　戦後70年⁉　大きいことを言ってきましたね（笑）。僕だって終戦当時は小学2年生ですから。

青木　もちろん存じあげています（笑）。ただ、木谷さんは刑事裁判官を40年近く務められ、現在も弁護士として刑事司法の現場に立たれています。僕自身、警察や検察の捜査、そして裁判を取材し、この国の刑事司法は問題が多いと痛感しています。刑事法の大家で東大総長も務めた故・平野龍一氏が「わが国の刑事裁判はかなり絶望的」と言ったのは１９８０年代でしたか。木谷さんはいま、率直にどうお考えですか。

木谷　ええ、絶望的ですね（苦笑）。いや、自分が裁判官をやっている時はもうちょっとましかなと思っていたんです。しかし、野に下ってみると、ごく当たり前のことが通じない。そんなことばかりです。

青木　具体的には？

木谷　僕がやっている事件はいくつかあるんですが、典型的なのは北海道の恵庭ＯＬ殺人事件です。

無罪判決を出している人や再審開始を決定した人は優遇されない傾向がある

青木　北海道恵庭市で２０００年3月、女性会社員が殺害された事件ですね。遺体は焼かれた状況で発見され、同僚だった女性が懲役16年の刑を受けて服役中です。しかし、無実を訴えて再審請求中です。

木谷　僕は第一次再審の途中から弁護人になったんですが、事件当時、彼女は29歳のＯＬさんでした。同僚のＯＬさんを自分の車に乗せ、後ろから首を絞めて殺し、雪の上を引っ張って運んでいって、10リットルの灯油をまいて焼いたと。そういう疑いで有罪になりました。しかし、あり得ないんです。

　たとえば被害者の体重は52キロ。そんな人を殺し、女性1人で車から降ろし、雪の上を運んだという。でも雪には引きずり痕も何も残っていない。

　その上、灯油10リットルで焼いたというんですが、遺体は真っ黒焦げで、内臓まで炭化していた。豚で実験してみたんですが、いくらやっても中の肉は生焼け。10リットルの灯油では真っ黒焦げにならない。そして自白もない。

　だというのに彼女が灯油10リットルを前日に買っていたという事実があって、ある男性を挟んで被害者と三角関係のような状況にあったということで犯人にされてしまった。再審段階では、灯油10リットルでは黒焦げになるはずがないと弘前大学の先生（当時教授）が鑑定書を書いてくれました。例の東住吉の事件で鑑定をしてくれた先生です。

青木　大阪・東住吉で1995年、小学6年生の女の子が死亡した事件ですね。母親と内縁の夫が保険金目当てで放火し、殺害したと無期懲役判決を受けていましたが、弁護側の燃焼実験による鑑定で自然発火の可能性が高いことが分かって再審が決まり、2人が無罪になったことは大きく報じられました（2016年8月に無罪確定）。

木谷　ええ。こちらでもそういう鑑定が出たのに、検察側の鑑定人は「灯油が燃え尽きても、人間の身体には脂肪があるから独立燃焼する」などと妙なことを言い出した。

青木　もしそうだとしたら、脂身のあるステーキを焼けば、火を止めても焼けつづけることになってしまう（笑）。

木谷　そういうことです。あり得ないでしょう。

　また、被害者は仰向けの状態で発見されている。ところが、後頭部が完全に燃えている。雪の上なのに、頭の後ろが真っ黒焦げになっているということは、いったんうつ伏せにして焼いて、その後にひっくり返して仰向けで焼いたということになる。すると彼女のアリバイが成立するんです。

青木　というと？

木谷　目撃証言などによると、犯行当日の午後11時15分ぐらいに炎が上がったというんですが、午後11時30分には彼女がガソリンスタンドにいたというビデオ映像がある。有罪判決によると、火を放ってすぐに（ガソリンスタンドに）行けば15分で行けるじゃないかと。でも、火のついている死体ならすぐにひっくり返すことなんてできません。しかも、午前0時5分頃にまた火が上がったのを見ている人もいるんです。

青木　なるほど。どうにも辻褄が合わないところがあるのに有罪だと。ならば木谷さんは裁判官もされていましたから、あえて訊きます。裁判官は難関の司法試験を優秀な成績でパスし、基本的に頭のいい人ばかりですね。なのに、少し考えれば不合理だと分かることが通ってしまうのはなぜでしょう。単なる受験バカなのか、それとも別の力学が働いているのか。

木谷　両方あると思います。実際にバカな人もいる。しかし、再審開始を決めるのは最高裁のお気に召さない。そんなものは全部棄却しておいた方がいいという固定観念を持っている裁判官もいる。いま流行りの言葉で言えば、忖度しちゃっている。

青木　そこを伺いたいんです。人事を政権に牛耳られた官僚の世界がまさにそうですが、裁判官の人事は最高裁の事務総局が握っています。だから事務総局の意向に反する判決を出すと飛ばされたりしてしまう。それが影響しているんでしょうか。

木谷　あるんじゃないかと思います。ごく普通の刑事裁判を見ていても、有罪判決ばかり出している人は結構偉くなるのに、無罪判決を出している人とか再審開始を決定した人は優遇されない傾向がある。それを見れば、裁判官はバカじゃないからこそ、そういうことを避けようというふうになってしまう。

青木　つまり、無難に徹して検察寄りの判決を出しておいた方がいいと。しかし、そうした裁判官たちの心中はどうなんでしょう。刑事裁判の場合、眼前にいる被告人が無実だった場合、無辜《むこ》の民を罰することになってしまう。これは途轍もない不正義です。自分が出世したいとか、左遷されたくないという保身は分からなくもありませんが、一方で途轍もない不正義への良心の呵責も生じるでしょう。

木谷　ええ。ただ、刑事裁判というのは通常、絶対的な真実など知ることはできません。クロの証拠がある一方、疑わしい点もある。そうした中で判断を迫られる。この程度ならクロだと片づけてしまえば、それほど良心の呵責なく有罪判決にできちゃうんです。

やめなかった人は気の毒なくらいホサれました

青木　ところで、最高裁の事務総局がこれほど力を持つようになったのはいつごろからですか。

木谷　さあ、いつからでしょう。僕が裁判官になったのは25歳ですから、五十数年前です。その頃もう最高裁の事務総局は立派な権威を持っていたんじゃないでしょうか。一般の裁判官もそういうふうに見ていました。

青木　木谷さんご自身も事務総局にいらっしゃいましたね。

木谷　3年いました。28歳まで東京地裁にいて、そのあと28歳から31歳まで（最高裁事務総局の）刑事局付きという立場でいたんです。

青木　それは最高裁判事の補助をする調査官とは違うんですか。

木谷　違います。事務総局というのはまったく司法行政事務です。後に調査官になって最高裁判事のお手伝いをしましたが、裁判部門と事務部門は別です。本来、事務総局がそんなに権威を持つのはおかしいんです。

青木　28歳で行かれた事務総局の刑事局では何をされていたんですか。

木谷　うまく説明できないのですが、たとえば重要な問題があると、全国の裁判官が集まって「会同」というのを開きます。

青木　いわゆる会議ですね。検察でも「会同」という言葉を使います。

木谷　ええ。各裁判所から出てきた問題について皆でディスカッションをする。そのお手伝いをするわけですが、刑事局はどう考えるかという意見も局内でまとめ、それを局長が述べる。あくまでも参考意見なんですけど、それがあたかも正解であるような感じで皆さん、持って帰るわけです。

青木　なるほど。しかし、28歳という若さで東京地裁から最高裁事務総局に行った木谷さん自身、相当なエリートだったわけでしょう。

木谷　そんなことは当時、僕は全然知りませんでした。本当に迷ったんです。裁判をするために裁判官になったのに、現場を離れて司法行政なんかに行ってしまっていいのかと。尊敬していた裁判長にも相談しました。いま考えれば笑っちゃうんですが、僕は本気で心配し、その裁判長からは「3年位病気でもしたと考えればなんてことはないし、むしろ視野が広がるから行ってみなさい」と言われて決断したんです。

青木　普通はそんなことで迷わない（笑）。

木谷　みんなホイホイ行きますよ。喜んで行っちゃう（笑）。

青木　まさに権力の中枢というか、エリートコースの中枢に行くわけですからね。

木谷　しかし、僕はあんまり優等生ではありませんでしたから。

青木　木谷さんは、いわゆる青法協、青年法律家協会には関わらなかったんですか。

木谷　僕はああいうのを好きになれなかったんです、そういう組織に入るのが。ずいぶん誘われましたが、面倒くさいと思って断ったんです。

青木　1954年に設立された青法協は、若手の法律研究者や弁護士、裁判官などが中心になって結成され、憲法擁護や平和、民主主義の重視を訴えてきましたが、政府や与党などからは左派色の強い団体として警戒されることになりましたね。

木谷　でも当時は青法協に入るのが当たり前で、後に最高裁長官や最高裁判事になるような人たちも含め、猫も杓子もみんな入っていたんです。たいして人権感覚が鋭いと思えない人も青法協に入るのが一種の流行みたいになっていて、入らない奴はバカだといった感じでした。それが大きな問題になっちゃったのは平賀事件以降です。

青木　いわゆる長沼ナイキ訴訟をめぐる一大騒動ですね。北海道長沼町での自衛隊基地建設をめぐって１９６９年、地元住民が訴訟を起こし、自衛隊の合憲性が争われることになりました。そして一審の札幌地裁（福島重雄裁判長）は１９７３年、自衛隊は違憲との判断を下して波紋を広げました。

しかもこの裁判では、札幌地裁の所長だった故・平賀健太氏が裁判長の福島氏に対し、国側の主張を支持すべきだという趣旨の書簡を送っていたことが発覚しました。これは憲法76条が定める裁判官の独立を侵すものですから、さらに騒ぎが拡大したわけですね。

木谷　当時、僕は福島さんの右陪席をしていたのですから、準当事者です。所長があんな書簡を出したこと自体が大きな問題ですけど、札幌地裁も裁判官会議で（平賀氏を）厳重注意したことで上の方は激怒したようです。そんなことをする裁判官、若い奴らを放置しておくのはマズいと。

青木　与党や保守系のメディアが一斉に批判をはじめ、福島氏が青法協メンバーだったことなどから青法協批判が巻き起こって、いわゆる〝ブルーパージ〟がはじまった。日本の裁判所と司法の大きな転換点でした。

木谷　平賀事件の後、自民党からの攻撃がすごく激しくなりました。みんな（青法協を）やめろという通告があり、やめた人は最高裁の判事や長官まで偉くなって、やめない人は徹底的にホサれた。それはもう気の毒なくらいホサれました。

自分の考えと違う結論の判決を書かされたことは何度もある

青木　ところで、大型の裁判は裁判長と2人の陪席裁判官の合議で判決が書かれます。少し前、死刑確定囚だった袴田巖さんに再審開始決定が出された袴田事件の場合、陪席だった熊本典道さん（1963年に判事任官。69年に退官。2020年11月に死去）は袴田さんの有罪に強い疑問を感じつつ、合議の結果として有罪判決を書かされたと明かし、その後の熊本さんの人生も大きく変わってしまいました。木谷さんもそういう経験はあるんですか。

木谷　ありますよ。自分の考えと違う結論の判決を書かされたことは何度もあります。合議ですから、言うことは言うけれども、採用されないのは仕方ない。だいたい僕のようなやり方でやっていたら採用されないんですよ（笑）。

青木　僕の知っている限りで言うと、木谷さんのやり方こそがスタンダードであるべきだと思うのですが。

木谷　それがスタンダードじゃないんです（笑）。僕は自分がちょうどいい具合にやっているつもりだったけれど、後から見ると、本当に飛び抜けて変わったやり方をしていたらしい。つまり僕の感覚自体が一般の裁判官とは合わないんです。だからあちこちで衝突しました。僕の言い分を取りあげてくれた裁判長も中にはいましたが、すべてはねつけられてダメだった裁判長もいっぱいいます。そういうところで僕はいつも少数意見でした。

青木　そのあたりを具体的にお聞かせくださいますか。

木谷　僕のやり方は、最初についた裁判長がすばらしい方で、その方のやり方を見習ってやってきたんです。まずは被告人の言い分は十分に聞く。そして弁解したことについては検事にしっかり反証を出させ、徹底的に証拠調べをする。その結果、やっぱり合理的な疑いが残れば、それは被告人の利益として判断する。そして綿密な判決を書く。そういうやり方です。

青木　疑わしきは罰せず、被告人の利益に。近代民主主義社会における刑事裁判の、ごく当たり前の大原則ですね。

木谷　なのに被告人が法廷で弁解しても、検事調書はこうなっているじゃないかと、今ごろ何を言っているんだということで、裁判では全然取りあげない。そういう人がかなりなんです。だから僕のやり方は、やっぱり変わっていた。

青木　僕はこれまで、冤罪被害者の方々に何人も取材で話を聞きました。袴田事件にせよ、足利事件にせよ、あるいは布川事件などもそうですが、有罪なら死刑判決も想定される事件であったり、実際に死刑が言い渡された事件であっても、警察や検察の取り調べで自白に追い込まれている。

やってもいないことを自白する、まして死刑になるかもしれないのに自白するなんて、一般には想像しがたいわけですが、徹底して孤独な状態で朝から晩まで何日も執拗に取り調べられると、いくら本当のことを言っても聞いてもらえないという絶望感や恐怖感に取り憑かれてしまうそうです。

しかも自白するまで許してもらえない。ならば、とりあえず自白して過酷な取り調べから解放されたい、警察や検察は分かってくれないけれど、本当のことを言えば裁判官は分かってくれるんじゃないかと考える。しかし、いったん捜査段階で自白調書を取られてしまうと裁判もそれをほぼ追認し、被告の主張に耳を傾けてくれない。いわゆる「調書裁判」の弊害です。

木谷　そう、それなんです。こんなひどい取り調べを受けたと（被告が）言う場合にどうするかというと、取り調べの状況を警察官に証言させる。それで警察官が否定すれば、警察官の言う通りに認定しちゃう。もう一種のセレモニーになっている。

その理屈はこうです。被告人は罪を免れたいからウソをつく動機がある。しかも宣誓もしていない。一方、警察官にはウソをつく動機がない。宣誓もしているから、ウソをついたら偽証罪で処罰される。それを覚悟してウソをつく警察官がいるとは思えない。こうなってしまい、警察官の言うことがみんな信用されちゃう。そういうことでやっていたら、何のための裁判か分からないですよね。

青木　そういう裁判がまさにスタンダードになってしまっている中、木谷さんは判事として20

件以上の無罪判決を書いていますね。

木谷　裁判長になる前の時代を含めれば30件を超えています。

青木　しかも、ほぼすべての判決で検察側が控訴を断念しています。判決がそれだけ緻密かつ合理的だったからでしょうが、大変な労力がかかるんじゃないですか。

木谷　僕は楽しかったけれど、労力は間違いなくかかります。だって有罪判決を書くのは簡単です。検事が言うことをなぞっていれば書けちゃう。だけど無罪を書くとなると、上（上級審）でひっくり返されたら話にならない。被告人をぬか喜びさせるだけですし、書く以上は絶対に確定させなくてはと思って書きます。

　すると、やっぱり証拠調べに時間がかかります。さきほど申し上げたように、被告人の言い分をよく聞き、関係証拠を徹底的に調べ、それを批判的に検討して、判決には詳細に書き込むわけですから。僕の判決をいっぺんご覧いただくといいんですけど、みんな長ったらしいですよ。いま読むと、読むのもいやになるぐらい長い（笑）。そういうことをやりますから、時間はかかる。労力もかかる。

　浦和（地裁）の時、覚醒剤事件の被告人から立て続けに2件、「尿を取り替えられた」「別人の尿を入れられた」という弁解が出たことがありました。一見するとバカバカしいというか、普通の裁判官なら歯牙にもかけないような弁解でも、それはやっぱり危ないと思えば調べるわけです。判決は12月と1月に出したんですけれど、この時は大変でした。年末年始もすべて潰して一生懸命に判決を書いて……。

青木　いずれも無罪判決を書いたんですか？　警察はメンツ丸つぶれでしょう。

木谷　メンツ丸つぶれです。しかし、そういう弁解をされても反論できないような杜撰《ずさん》なやり方を警察がやっていました。だからそういう判決を書いたら、検事も控訴しなかった。控訴しても通らないと思ったんでしょう。

裁判官だけが忙しいわけじゃない、それこそ言い訳

青木　いまのお話にも通じますが、裁判官がなぜ当局寄りの判決ばかりを書いてしまうかといえば、猛烈に忙しいのも一因だという声を聞きます。じっくり証拠を調べて無罪を書いていたら膨大な手間がかかる。聞くところによると最近の裁判官は、処理した事件の数で評価されるそうですね。

木谷　忙しいといえば、誰だって仕事をしていれば忙しくないはずはありません。量をこなしながら質の高い判決を書こうと思えば、それは忙しい。しかし、責任を果たすためには徹底的にやらなければならない。弁護士になってみると、弁護士は大変忙しい。裁判官だけがやたらと忙しいわけじゃない。それこそ言い訳です。

青木　忙しいから易きに流れるというのは言い訳だと。

木谷　ええ。ただ、仕事のやり方によって飛ばされてしまうというのは事実です（笑）。これはちょっと同情すべき点はあります。

青木　確かに僕たちは裁判官を批判するけれど、現実には家族がいたり、子どもがいたりすると、飛ばされるというのはしんどい。

木谷　裁判官も人間ですから、厳しいですよ。こういう詠み人知らずの歌があるんです。「渋々《シブシブ》と支部《シブ》から支部《シブ》へ支部《シブ》めぐり　四分《シブ》の虫にも五分の魂」という。

青木　そんな戯れ歌があるんですか（笑）。

木谷　うまくできてますよね（笑）。でも、青法協の人の中にはまさにそれを地で行った人がいっぱいいます。

青木　地方に飛ばされるだけではなく、支部から……。

木谷　支部から支部へ。まともな仕事をやらせてもらえない。もちろん単身赴任になってしまいます。

青木　しかも給料も……。

木谷　変わります。たとえば、本俸以外に都市手当があります。東京にいると本俸に12％付く。大阪だと10％。僕がいたことのある浦和だと６％。

青木　支部だと全然付かなくなってしまうんですか？

木谷　全然付かなくなります。

青木　10％違うとけっこう大きいですね。

木谷　大きいですよ。それに昇級の問題もあります。裁判官の給与は段階があって、順調に上がる人もいれば、据え置かれてしまう人もいる。ある段階で据え置かれると、裁判長にもなれないんです。いつまでもヒラ判事。

　裁判所というところは結構な階級社会ですから、会議などの席順、宴会などの席順、そんなところまで決まってしまう。先輩であっても号棒（注：国家公務員の職階によって定められた俸給）が下だと下に持っていかれる。それってかなりシビアですよ。

青木　裁判官の独立が憲法でうたわれても、勤務地や給与、職責や地位まで左右されると、なかなか厳しいですね。

木谷　管理の仕方がうまくできているんです。そういう大きな機構を考えれば、個々の裁判官を責めるのはちょっと酷だなとも思う。しかし、やはり裁判官になった以上、そんなことと関係なくやらなくちゃいけないとも思う。

検察官が猛反対すれば、裁判官はめったに保釈しない

青木　やはり日本の刑事司法は、個々の裁判官の問題に加え、システム的な問題がたくさんありますね。たとえば判検交流、つまり裁判官と検察官の人事交流制度が問題だという声もあり

ます。これが検察寄りの裁判をつくってしまっている原因ではないかと。

木谷　どうなんでしょう。確かに検察庁へ行って、すっかり検察官的になって戻った人もいますけど、逆に向こうのやり方を覚えて武器に使い、どんどん無罪判決を書く人もいます。一般的にあまりいい制度だと思いませんが、やはりその人によるんじゃないでしょうか。それより訟務検事の方が弊害があるかもしれません。

青木　訟務検事というと……。

木谷　民事の国家賠償訴訟などで国側の代理人になる人です。

青木　検察官のほかに、判検交流で裁判所から出向した裁判官も訟務検事を務めますね。

木谷　これはよくない制度です。弁護士はたまりませんよ。いままで裁判官として向き合っていた人が、あっち側にいっちゃうわけですから。

青木　アメリカなどのように、ベテランの弁護士を裁判官にするとか、そうした大きな制度改革がやはり必要なんでしょうか。

木谷　いわゆる法曹一元ですね。昔から言われていて、昭和30年代の臨時司法制度調査会の時もそういう話は出ましたが、時期尚早だというようなことになってしまった。これほど中央集権的な機構が出来上がってしまうと、少しぐらい弁護士さんが入っても変わらない。根本的に変えなければダメなんです。

青木　そこまで根本的に変えられたかどうかはともかく、２０１０年に大阪地検特捜部で発覚した証拠改竄《かいざん》事件は大きなチャンスでしたね。検察捜査のありようへの批判が戦後初めて高まり、民主党政権下で法相の私的諮問機関として「検察の在り方検討会議」が設置されました。その後、法制審議会の特別部会で刑事司法の問題点が議論されることになりましたが、結局は捜査当局側が焼け太りするような結論になってしまいました。

木谷　法制審議会には裁判所の代表も入るし、法務省、検察庁の代表も入るし、日弁連も入るけれど、いつも（法務省側に）押し切られるわけです。

審議会の委員を誰が選ぶかといえば、法務省が決める。法務省は自分たちの見解が通りやすいようなメンバーを入れますから。中に数人、そうでない人を入れるけれど、数が少ない。だから結局、法務省の思いのままの決定をするための隠れ蓑になってしまう。

青木　確かに今回の「検察の在り方検討会議」や法制審の特別部会には、ジャーナリストの江川紹子さんや映画監督の周防正行さん、郵便不正事件で冤罪逮捕された元厚労省の村木厚子さんも名を連ねましたが、ある種のガス抜きに使われてしまったように思います。

木谷　まったくそうです。もちろん、彼らや彼女らが入ったので多少はよかったんですよ。たとえ一部にせよ、取り調べの可視化（録音・録画）が実現したのは、あの人たちの活躍のおかげです。

青木　しかし、取り調べの可視化といっても、全刑事事件のわずか3％ほど。逆に盗聴法（通信傍受法）が大幅強化され、司法取引まで導入されました。証拠改竄という信じがたい大不祥事がきっかけだったことを考えれば、法務・検察は笑いが止まらないでしょう。

木谷　焼け太りもいいところです。

青木　だから「絶望的」とまで言われる問題点が一向に改善されない。逮捕段階からいえば、いわゆる代用監獄ですね。被疑者が捜査側の施設である警察の留置場に勾留されるのは、先進民主主義国では日本ぐらいしかなく、国連などから何度も是正を勧告されています。また、勾留期間が異様に長い。しかも密室で取り調べが行われ、容疑を否認するとなかなか保釈を受けられない。最近は少しだけ変わってきたようですが。

木谷　いえ、いまも基本的には変わりませんよ。沖縄の人なんて5カ月も出られなかった。

青木　沖縄平和運動センター議長の山城博治さんですね。米軍基地への反対運動中、器物損壊容疑で逮捕されて以降、約5カ月も保釈されませんでした。しかも山城さんは重い持病があるというのに、あの程度の容疑で延々とぶち込まれたらたまったものじゃない。いったいなぜだとお考えですか。

木谷　見せしめですよ。検察庁が（保釈に）猛烈に反対する。検察官が猛反対すれば、裁判官はめったに保釈しない。

青木　どうしてですか。

木谷　完全に検察庁にコントロールされてしまっているんです。だから「人質司法」だと言って検事が威張る。

青木　つまり、否認している限り保釈されないと脅して自白を迫る取り調べが横行してしまう。

木谷　そう。今度の共謀罪なんてまさにそこを考えなくてはならないんです。政権は、裁判所のチェックがあるから乱用の恐れはない、なんて言っていますが、現実の裁判所は検察の言いなり、警察の言いなりだから怖いんです。

「悪いことをした人は死んだ方がいい」と単純に考えている人が多い

青木　そこで最初の話に戻ってしまうんですが、なぜ裁判所がそれほど検察、警察の言いなりになってしまうのか。ほかにも理由はあるとお考えですか。

木谷　確かにシステムの問題もあります。たとえば令状請求の段階というのは、捜査官側の一方的な資料で請求してくるわけです。捜査報告書などは、放っておくと逃げてしまうとか、そういうふうに感じられる資料を持ってくる。弁護側が反論するシステムはなく、一方的な資料に基づいてしまう。

　仮に逮捕状請求の際、この部分の証明が足りないと言って突き返しても、そこを埋める新しい資料を持ってくるから、結局は令状を出すことになってしまう。先日、韓国の大統領が逮捕された際、逮捕前に相当な時間をかけてディスカッションしていましたね。

青木　ええ。最終的には逮捕されましたが、逮捕前に裁判所が朴槿恵氏に出頭を求め、9時間近くにわたって逮捕が妥当かどうか審査をしました。日本にはそうした制度がありません。

木谷　日本の制度がそうなっている以上、いくら裁判所が頑張ったとしても、それは限度がありますよ。

青木　僕は特派員として韓国にいたからよく分かりますが、かつては独裁政権の下で人権無視の状態が横行していた韓国も、その反省に立ち、民主化後は刑事司法制度の改革が進みました。いまや日本より先進的な面があります。

木谷　はるかに進んでいますよ。韓国も台湾も、完全に日本を追い抜かしました。特に金大中さんの時代、死刑まで宣告された方が大統領になったわけですから、これは大きかったですよね。死刑も停止し、もはや事実上の死刑廃止国です。

青木　たしかに死刑制度自体は残っていますが、金大中政権期以後、死刑を一件も執行しない状態がいまも続いています。国際的には事実上の死刑廃止国ですね。お話に出たのでうかがいたいのですが、死刑制度をどうお考えですか。

木谷　僕はやっぱり反対です。絶対に誤判をしない保証はない。再審制度も十分に機能していない。間違って執行してしまったら取り返しがつきません。まずはそれが一番大きいですね。また、犯人を殺してしまって果たしていいのか。

　刑罰というのは、確かに応報の面はありますが、一方で教育改善ということが大きな目的でもある。しっかりと教育し、社会に復帰させるという目的があって、実際にはなかなかうまくいきませんが、それは理想としてあるわけです。だけど死刑で殺してしまったら、理想は実現できなくなってしまう。死刑で被害者の気持ちが収まるかといえば、それも結局はむなしさが残るわけですね。

青木　ただ、世論調査などによれば、80％の人びとが死刑制度の存置を支持しているのが現状です。

木谷　いち早く死刑制度を廃止したフランスだって、世論は（廃止に）反対だったんです。しかし、政治家が頑張って廃止にした。世論といっても、死刑の実態もよく分からないまま「悪いことをした人は死んだ方がいい」と単純に考えている人が多い。

編集部　とはいえ、被害者や遺族の気持ちを考えろという声も根強いですね。

木谷　それを言い出したら、1人殺したら全員死刑ということになります。現在は被害者が1人の場合、まず死刑にしませんね。被害者や遺族が加害者を徹底的に恨むのは人間の感情としてやむを得ないことですが、それをそのまま制度に持ち込み、人を殺した人間は全部殺すべしというふうにするのは文化国家といえません。海外を見れば、ノルウェーで77人が犠牲となるテロがありましたが、死刑制度復活という議論は出てこない。

青木　木谷さんご自身は、刑事裁判官として死刑判決には関わらなかったんでしょうか。

木谷　やっていません。

青木　木谷さんほど長く刑事裁判官を務め、死刑事件に関わらないというのは珍しいのでは？

木谷　珍しいことでしょう。運が良かったのかもしれません。1件だけ、危うくニアミスがありましたが……。

青木　それはどういう?

木谷　最高裁の調査官の時です。たまたま2件、重大な事件が（最高裁に）上がってきて、石油カルテルの独禁法違反事件と永山事件でした。

青木　永山事件ですか。後に作家としても知られた故・永山則夫氏が未成年だった19歳の時、連続4件の射殺事件を起こして死刑判決を受けた事件ですね。最高裁が1983年に二審の無期懲役判決を破棄して死刑を言い渡した際、死刑を適用する際の判断基準を示したことでも知られています。最近までそれが「永山基準」として運用されてきました。

木谷　ただ、僕は独禁法違反事件を担当することになり、永山事件は同期の調査官が担当したんです。あの段階でもし僕が永山事件を担当したら、果たしてどういう報告書を書いただろうかといろいろ考えるんです。さあ、本当に死刑廃止の方向へ導けるような立派な報告書を書けたか、自信はありませんけどね。

　でも、あの事件は惜しかった。あの事件の（検察側の）上告を棄却していたら死刑廃止に大きく一歩踏み出すことになり、流れが変わっていたと思います。ちょうど1980年代なんですよ、ヨーロッパ各国が死刑廃止に舵を切ったのは。そういう時代、日本もそう遅れずについていけたはずなんです。

青木　当時は日本でも死刑事件での冤罪が相次いで発覚していますからね。

木谷　そう。いいチャンスだったんです。

多数決で救済されない人を助けるという考え

青木　しかし、日本は死刑廃止に舵を切るチャンスを逸し、その上に最近は厳罰化の傾向が顕著になっています。永山基準にしても、死刑はほかに選択の余地がない場合に限って「やむを得ず」適用されるというものでしたが、最近は「特に酌量の余地がなければ死刑」という方向に変わりつつあるとも言われます。転機となったのは１９９９年に山口県光市で発生した母子殺害事件でした。

木谷　ええ、光市の事件は大きかった。一審、二審は無期懲役だったのを最高裁がひっくり返したわけですから。ああいう事件で無期判決を書くのは、世論の批判を受ける可能性がありますから、勇気がいることです。なのに最高裁から差し戻されるんですからたまりません。

青木　逆に言えば、それは全国の刑事裁判官に強烈なメッセージとして伝わる。

木谷　萎縮します。

青木　しかも最近は、状況証拠のみでの死刑判決も相次いでいます。

木谷　いっぱいあります。死刑ではありませんが、恵庭の事件もそうです。本当に頼りない状況証拠しかない。

青木　先ほど木谷さんがおっしゃったように、裁判官が法廷でせめて被告人の主張を真摯に聞き、徹底的に調べるという作業をやるだけでもだいぶ違うでしょうね。

木谷　ええ。ずいぶん違ってくると思います。でも僕みたいなやり方、やってくれないんですよね、みんな。

青木　最後にもうひとつだけ。司法というものがどうあるべきだと木谷さんはお考えですか。

木谷　それはまた難しい質問ですね。

青木　僕は最近思うんです。民主主義社会は基本的に多数決で運営されます。日本の場合、選挙で国会の多数を取った勢力が首相を選び、行政を司る。それはいいんだけれど、立法府や行政府は時に多数派の横暴に陥ってしまうこともある。

　これを司法権の砦たる裁判所がきちんとチェックしなければならない。ようするに司法の役割はメディアのそれと似ているところがあって、少数者の側に立って人権を守り、権利侵害を防ぐ役割が本来課されているのではないかと思うんです。

木谷　それはまったく同意見です。そう考えている裁判官もいます。最高裁判事まで務めた泉徳治君（１９３９年生まれ。63年任官、最高裁判事などを経て２００９年退官。現在は弁護士）もそうです。僕と同期なんですが、彼はそういう意見だった。多数決で救済されない人を助けなきゃいかんという考えです。

青木　そういう人が増えれば裁判は変わるんですけれどね。

木谷　残念ながら圧倒的に少数なんですよ（笑）。

青木　少数者はどこまで行っても少数ということですか。メディアの世界だってエラそうなことは言えません。最近は似たようなものですからね（苦笑）。

木谷　困ったもんだね、ほんとにもう。うまくいかないですよ、世の中というのは。

（2017年6月6日）

木谷明（きたに・あきら）
1937年、神奈川県生まれ。弁護士。1961年、東京大学法学部卒業。同年、最高裁判所司法研修所入所。1963年、判事補任官、東京地裁判事補。1966年、最高裁判所事務総局刑事局付き。その後、札幌地裁判事補・同高裁判事職務代行、東京地裁判事補、同地裁判事、名古屋地裁判事、同高裁判事職務代行を経て1979年、最高裁調査官。1984年、大阪高裁判事。1988年、浦和地裁判事・部総括。その後、東京高裁判事、同家裁判事（少年部所長代行）、水戸家裁所長、同地裁所長を経て1999年、東京高裁判事部総括。2000年、退官、公証人拝命（霞ヶ関公証役場）。2004年、公証人退職、法政大学法科大学院教授。2012年、同退職。2012年、弁護士登録。著書多数、近著に『刑事裁判のいのち』（法律文化社）、『「無罪」を見抜く　裁判官・木谷明の生き方』（岩波書店）。

第4章

武田砂鉄

袋小路の活字メディアで抗う方法

いまや武田砂鉄は押しも押されもせぬ人気ライターの1人である。だが、私と最初に会ったころは本書の版元である河出書房新社の編集者だった。既知の編集者が人気の書き手に成長したのはもちろん喜ぶべきことだが、なんだか少し寂しい気もしてしまうのは、ノンフィクション業界の現状ゆえなのかもしれない。

先達の書き手や編集者らの努力もあって一定の地位を築いてきたノンフィクションの世界だが、出版という業界全体のなかでみれば、ほんの片隅で細々と続けられている営みにすぎない。

だから各出版社でノンフィクションを担当する編集者は決して多くなく、ともに仕事をしたことがあろうとなかろうと、書き手からみればこの出版社にはこの編集者がいることを知っていて当たり前というような、そんな狭い同人的関係のなかでノンフィクション作品は紡がれている。

逆にいうなら、大手だろうが中堅だろうが、それぞれの出版社にはノンフィクションの作法に精通しつつ書き手を支えてくれる優秀な編集者など数えるほどしかいないことも意味している。かつての武田砂鉄はその1人だった。いや、本対談のなかで武田自身が率直に吐露しているように河出書房新社はノンフィクション系の雑誌を発行しておらず、環境が十分に整っているとはいえなかったから、ノンフィクションを支える志を抱きながら悶々と試行錯誤していたという方が正確だろう。

そんな編集者が1人減ってしまった寂しさを抱えつつ、すっかり人気者となった気鋭のライターとの対談は私にとっても楽しく、すっかりリラックスしながらノンフィクションにとどまらぬ活字メディアの過去と現在、そして将来を忌憚なく語りあえるものとなった。だから本対談がノンフィクションと活字メディアの現状を知らせ、その将来に多少なりとも資するものになることを願う。

武田　この連載のバックナンバーを読んできましたが、錚々たる面々で、自分のようなポッと出でいいのか、と恐縮してしまいます。

青木　いやいや、もともとは優れた編集者で、現在は気鋭のライター、物書きとして活躍している武田さんとは、昨今の出版界やノンフィクション、さらにはメディアやジャーナリズムの現状をどう感じているか、一度きちんと話したかったんです。

武田　3年前まで河出書房新社という出版社に勤めていましたが、編集者として青木さんと一度だけ仕事をご一緒しました。

青木　文庫の解説原稿でしたね。

武田　はい。本田靖春さんの『私戦』の文庫解説です（２０１２年９月刊、河出文庫）。自分にとって本田さんはとても大きな存在です。会社に入ったのが２００５年なのですが、前年の12月に本田さんが亡くなり、そこから数年するとジャーナリズムやノンフィクションを主軸とする月刊誌、たとえば『月刊現代』（講談社）、『月刊プレイボーイ』（集英社インターナショナル）、『論座』（朝日新聞社）といった雑誌が立て続けに休刊になります。そこから、いわゆる雑誌不況が声高に語られるようになっていきます。

　また、これからいよいよ出版社へ、という時に発売されたのが、本田さんが病床で綴った遺作『我、拗ね者として生涯を閉ず』（講談社、現在は講談社文庫所収）でした。自身の人生を振り返りつつ、今のジャーナリズムや世相に対して警鐘を鳴らす本田さんの文章が強烈な存在感を放っていました。

青木　いくつもの病を抱えた本田さんが病床で続けた『月刊現代』連載をまとめた遺作ですね。僕もいろいろな想いを抱きながら読みました。

武田　そして僕は入社して２年ほど書店営業をした後に、文芸誌『文藝』の編集に異動します。そこで数年、最低限のイロハを学んでから本田さんの特集本を『文藝別冊』シリーズで刊行したのです。

青木　『文藝別冊』として出された『本田靖春――「戦後」を追い続けたジャーナリスト』（２０１０年刊）ですか。錚々たるジャーナリストやノンフィクションライター、作家が集い、これも興味深く読ませてもらいました。

武田　結果としてそんなに長くなかった自分の編集者人生の中で、世に出せて良かったと思える仕事の一つになりました。この特集本を刊行したのち、とにかく本田さんの作品をもっと読めるようにしたいと考えました。

　というのも当時、文庫で読めた本田作品は『誘拐』『不当逮捕』『警察回り』『疵』くらいのもの。１９６８年に起きた金嬉老事件を追った名作『私戦』は読めない状態が続いていた。これは本田作品の中でも好きな作品だったし、公権力やメディアから露骨な在日差別を浴びてきた金嬉老の姿を追う本田さんの目線は、今の社会に高まる「嫌中」「嫌韓」のムードに対し、強烈なメッセージを発しているようにも感じられたので、再刊したいと考えたのです。

青木　日本の統治下だったころのソウルで生まれた本田さんは、在日コリアンという存在を生涯のテーマの一つに据えていたそうですね。その集大成ともいうべき『私戦』では、静岡・寸又峡温泉の旅館に立てこもった金嬉老が懸命に訴えた民族差別の不当性に深い共感を寄せ、日本と朝鮮半島をめぐる歴史や戦後日本の社会構造への真摯な思索の必要性を繰り返し訴えています。

だから僕も、武田さんに文庫の解説を依頼された際、在日コリアンへのヘイトスピーチなどがはびこりはじめた状況を踏まえ、こう書きました。

〈90年代の後半から幾つもの病に罹患し、壮絶な闘病生活を余儀なくされていた本田は、積極的な執筆や発言をできる状況ではなかった。もし本田の体調が万全だったなら、愚劣で軽薄な風潮は満腔の怒りを持って罵倒したに違いない〉と。

ところで、それほど編集者として思い入れのあった文庫の解説を、またどうして僕に依頼してきたんですか。

武田　復刊を快諾して下さった本田さんの奥様・早智さんに「解説はどなたにお願いしましょう」と相談を持ちかけると、早智さんが青木さんの名前を挙げられたんです。

青木　それはまたなぜ？

武田　ワイドショーに出ているコメンテーターは聞くに値しない人が多いけれど、青木さんの話には耳を傾けている、と。僕は、青木さんが本田作品を読みこんでこられたことを知っていましたから、青木さんにお願いしたのです。

青木　そうか、本田さんが徹底したテレビ嫌いだったから意外だけど、テレビに出ていると、たまにはいいことがある（笑）。

紙に書くほうが楽しいし、愛着もある

青木　ところで武田さんは、いつごろから本田さんの作品を読むようになったんですか？　大学はどこでしたっけ？

武田　成城大学です。肌に合わず、真面目に通ったわけでもないし、特段の愛校心もないので、日頃のプロフィールなどには入れていません。

青木　なぜ？（笑）

武田　敏感というか自意識過剰な大学生でしたから、「そうか、小中高と付属校から上がってきたヤツがエライんだな」と感知するわけです。そういう面々が校門の近くに高級車を横づけする光景を見ると、それだけで「来てられっか」と憤るわけです（笑）。

青木　某首相の母校・成蹊学園もイメージが似てますね。少し前に『安倍三代』（朝日文庫）というルポを書きましたが、彼も小学校から大学まで成蹊で、大学時代はアルファロメオに乗っていたそうです（笑）。

武田　似たような空気感でしょうね。ある大学案内本ではこの2校は同じ枠で括られていて、企業の採用担当者の声として「素直で使い勝手がいい学生が多い」といった内容が書かれていた。かなり乱暴な断定ですが、否定はしません（笑）。

青木　（笑）。そんな大学生活の中でノンフィクションに浸っていたと。

武田　そうですね。本田靖春や竹中労を入り口に、現代の作家に至るまで読んでいきましたね。そうしたら、大学のカラーに合わない「偏屈で使い勝手の悪い学生」に……。

青木　じゃあ出版社に入って、最初からノンフィクションをやりたいと思っていたと。

武田　やりたいと思いましたが、河出には文芸誌以外の雑誌がなく、大手版元のように、書き手と編集者が寄り添って一編のノンフィクションを作り上げていく土壌はない。そういう場があれば、特集本や復刊だけではなく、積極的にノンフィクションを手がけられた、という思いはあります。可能な限りで取り組みましたが、悔しさはありますね。

青木　ノンフィクションの書き手にとって、原稿の最初の発表の場であり、取材費も出してくれる雑誌がないと、継続的な取材・執筆はどうしても難しいですよね。いきなり単行本で出すという手もあるけれど、取材に時間も手間もかかるノンフィクションの場合、それでは取材費や生活費が回らない。そういう意味で雑誌がない河出だと難しかった。

武田　難しかった、というのはもちろん言い訳でもありますけどね。

青木　結局、河出に何年いたんですか。

武田　9年半ですね。

青木　最初から辞めるつもりだった？

武田　計画的犯行だったのだと思います。学生時代から音楽雑誌でライターをやったり、会社に入ってからも今のペンネームで物書きをやっていましたから。

青木　でも、武田さんは独立後も物書きで食ってるんだからエラい。そんな人、最近はほとんどいないでしょう。

武田　どうなんでしょう。中学時代から雑誌が好きで、コンビニに立ち寄っては週刊誌やゴシップ誌を立ち読みし続けてきて、とにかくそこに自分の文章を載せたい、との思いが強いままでしたから。でも独立する数年前から、あと5年10年経つと、書き手として雑誌に新規参入する土壌がなくなるんじゃないかという危機感がありました。

青木　雑誌がなくなっちゃうと。

武田　ナンシー関、みうらじゅん、小田嶋隆、こういった人たちのコラムを乱読してきましたから、雑誌の片隅に載っているコラムというものに強い憧れがありました。この場に侵入する、乱入するってことができなくなるだろうと。

青木　今、仕事は紙とネット、どちらが多いんですか。

武田　紙のほうが少し多いぐらいですね。

青木　ネットの原稿料は安いでしょう。

武田　紙のみで仕事をされてきた方は決まってそう言うんですけど、「そうでもないかな」くらいには縮まってきている。ただ、その縮まり方は、良い縮まり方ではないですよね。紙の原稿料が落ちてきている面も強いわけですから。

青木　武田さんは、紙だろうがネットだろうが、発表媒体は別にどちらでも関係ない？

武田　紙に書くほうが楽しいです。片隅で息をしている、ごちゃ混ぜの中にいる感覚がありますから。一方、いわゆるｗｅｂライターが編集者から何を言われるかと言えば「目立て！」です。「アクセス数を上げろ」「タイトルは検索に引っかかりやすいものにしろ」「１５００字程度でわかるように書け」。

　それを主張する気持ちはわかります。しかし、その流れの中のみで原稿を書いていると、書き手の個性って模索すらされなかったりもする。アクセス数を稼ぐことこそ個性だ、という考え方もあるのでしょうが、僕は追随したくない。それが行き過ぎると、ＤｅＮＡの「ＷＥＬＱ」問題のようなことが生じるわけですし。

青木　医療分野などの記事をまとめたＤｅＮＡのキュレーション（まとめ）サイトですね。不正確な内容や著作権侵害――要は他サイトからのパクりなどが大量にあったことが問題化しました。つい先ごろ、ＤｅＮＡの第三者委員会が発表したところによると、最大2万本以上の記事、74万を超える画像に無断転載といった著作権侵害の可能性があったとか。

　つまり、超格安でライターもどきの人たちに原稿を発注し、他サイトの記事や写真をコピペして記事もどきを濫造していた。検索サイトで上位にくるよう工夫さえすれば、広告料収入で稼げるという目論見です。僕、あれは本当に大きな問題だと思う。あんなことがまかり通れば、悪貨が良貨を確実に駆逐する。時間と手間とカネをかけて取材しているライターが駆逐され、結局は正確で良質な情報が社会に流れなくなってしまうんですから。

それはまあ極端な例にしても、もう一つ、ネットメディアの問題点といえば、良質な編集者の不在といわれます。実際のところはどうなんですか。

絶滅危惧種のノンフィクションライター

武田　これは良質・悪質で分けるべきではなくて、編集者の目的意識が異なるのだと思います。あえて質で問うならば、校閲機能がないケースが多いのは大きな違いでしょうね。出版社が運営しているサイトでは、雑誌に書いたのと同じように校閲を入れてくれる。

一方で、新興のネットメディアではプロが校閲してくれる媒体が極めて少ない。間違えてもいつでも直せるし、という態度を感じることもある。「安倍晋三」が「安部晋三」になっていても、「じゃあ、直しときますね」って姿勢の中にいる。でもそれって場合によっては致命傷になりかねないわけです。その意識が低いことは確かだと思います。

青木　僕は紙メディアで仕事をすることが圧倒的に多いけれど、別にネットメディアがダメだなんて言うつもりはまったくないんです。ただ、そういう緩さに加えて、ノンフィクションという分野についていえば、まだネットではムリでしょう。

武田　そうですね。

青木　原稿料が安いのはともかく、きちんと取材費を出せるネットメディアってまだほとんどない。

武田　ないでしょうね。昨年来、取りざたされているのは「ネイティブ広告」についての議論です。ネイティブ広告とは、その媒体の記事として広告を自然に溶け込ませ、あたかも通常のコンテンツとして見せる広告のこと。これらの記事に対する表記ルールが曖昧だったのですが、新たなガイドラインができました。

　なぜこの話をしたかというと、この手の記事広告ってとにかくお金が出る。媒体が主体的に取材したかのように見せる記事も多い。たとえば、ある地方自治体の町おこしの取り組みを紹介するため、新幹線代も宿代ももらって現地に出向く。記事を書いてお金を投じた側のチェックを経て、これなら良いですよ、ということで「おススメ記事」が完成する。あたかも自ら取材して紹介しているように見える。これってノンフィクションの決まりごとでいえば基本のキからおかしいわけですね。

　逆にその自治体絡みで産地偽装が発覚したとして、取材をしようとすれば、新幹線代は出ないし、宿代も出ない。自分で行って取材して10万円かかったけどギャラは5万円ですという世界になってくる。褒めそやす記事にはお金が出て、きちんとした検証記事には出ない。若い書き手がそっちを書こうとは思いにくい。紙・ネットに限らない問題ですが。

青木　少し前、ヤフーが「ヤフー・ノンフィクション」というのを立ち上げたでしょう。

武田　ええ。

青木　僕にも何か書かないかという話があって、残念ながら他にいろいろ進行中の仕事を抱えていたので断らざるを得なかったんですが、ネット上で本格的なノンフィクションを取材・発表させてくれるという話で、非常に面白い試みだと思いました。実際、幾人かのライターが取材に動いていたようだけれど、どうなったんだろう。あんまりうまくいっていないのかな……。

　いずれにしても、これまではノンフィクションの発表媒体、取材媒体としての雑誌があって、その成果を書籍化していくシステムが機能していた。しかし雑誌の売り上げが右肩下がりになっていく中、これからいったいどうなるか。

武田　青木さんの『安倍三代』を読みましたが、その「あとがき」に、最初の発表媒体となった『ＡＥＲＡ』の協力態勢に手厚く謝辞を書かれていましたね。

青木　あれは少し別の思い入れもあったんです。3年ほど前、いわゆる慰安婦問題の報道をめぐって朝日新聞が猛烈なバッシングを受けたでしょう。誤報が批判されるのはもちろん当然だけど、「反日」とか「国賊」とか「国益を損ねた」なんていう論外の罵声まで飛び交って、朝日にも萎縮ムードが漂っていた。

そうした中、朝日新聞出版が政権の主を真正面のターゲットに据えたノンフィクションを、しかも僕のような外部の書き手に、やってみないかと提案してきた。その『ＡＥＲＡ』編集部の心意気に打たれたようなところがあったんです。２０１２年には、橋下徹・大阪市長のルポをめぐる佐野眞一さんの問題も起きていたし。

武田　『週刊朝日』での佐野さんの一件は、自分がまだ編集者をやっていたころの出来事でした。ノンフィクションの世界全体がナメられるきっかけにもなってしまったし、そこに朝日バッシングなどが連結して、「マスメディアや物書きってのは、ろくなもんじゃない」という、それこそ橋下徹あたりが記者会見やTwitterで投げてきたような言質が社会全体に浸透してしまった。

青木　振り返ってみると、僕らが最初に憧れた戦後のノンフィクション第一世代というと、本田靖春さんや柳田邦男さん、澤地久枝さん、立花隆さん、あるいは沢木耕太郎さんあたりで、大半が新聞や出版に出自を持つ人たちでしたね。最後まで新聞にいた人でいうと、本多勝一さんもそうだし、僕は共同通信の斎藤茂男さんにものすごく憧れていました。結局のところ、武田さんがそうだったように、僕も彼らの作品に強い影響を受けてこの世界に入り込んできたわけです。

　しかし、ノンフィクションの書き手も、その後は代を下るに従って劣化していったのは否めない気がします。そして今、雑誌が次々と休刊し、ノンフィクションの書き手の存在余地すらなくなってしまいつつある。たとえば僕らの世代、あるいは僕らよりも下の世代なんてもっとそうだけど、ノンフィクションライターなんて絶滅危惧種ですよ。

武田　30代の書き手で憧れられるノンフィクション作家という人は、なかなかいないですよね。近場に見えている大きな背中みたいなものは想定しにくいでしょう。

青木　確かに惨憺たる状態です。『月刊現代』がなくなり、『月刊プレイボーイ』などもなくなって、書く場所がどんどん失われていった。僕なんかはかろうじて間に合った世代で、会社を辞めて最初に長い作品を発表させてもらったのがやはり『月刊現代』でした。編集者にしてみれば、間に合った世代である青木の仕事の〝取れ高〟はある程度わかっているから、これを書かせてみようかと考えてくれるかもしれないけれど、まだ世に出ていない20代とか30代前半ぐらいの書き手に書かせようと思ってもなかなか難しい。

武田　そうですね。編集者にもそういう余裕がない。書店の売り上げデータと睨めっこして、二番煎じの本をどれだけスピーディーに出すかばかり考えている編集者も多い。

青木　編集者的な目線で見れば、それがこれから良くなることってないでしょう。

武田　紙メディアについていえば、相対的に良くなることはないと思います。まだまだ個々人の奮起で踏み倒せる部分は多いと思いますけれど。

今や出版界もテレビ局のよう

青木　すると、いったいどうなっちゃうんだろう。書きたいヤツはどんな状況でも書くわけだから、ノンフィクションという分野がなくなることは絶対にない。ただ、取材をして物を書くという作業には、フィクションの世界とは違う決まりごとや守るべき矜持が厳然とある。場合によっては訴えられることだってあるわけだから、そういう面の所作や矜持が伝承されなくなるのは怖い。

しかも最近は、メディアが平然と権力に擦りよる風潮も強まっているでしょう。大手メディアの政治部あたりで禄を食んだ幾人もの記者が、恥ずかしいほど露骨な政権提灯本を書いてそれが書店に並んでいる。あの神経が僕にはちょっと信じられない。これもひょっとすると、ノンフィクションやジャーナリズムが守るべき矜持が受け継がれなくなっているせいじゃないかと思ってしまうんだけど。

武田　『月刊WiLL』（ワック）や『月刊Hanada』（飛鳥新社）といった右派雑誌に書いているような物書きが、「○○は無かった！」「○○だから日本はスゴい！」的な論旨の粗い本を大量に出している状況もありますね。

青木　でも、ああいう「愛国」本って売れるんでしょう。

武田　編集者として「売れてるな」という実感がありましたね。自分で単行本を自由に編集できるようになったのが3・11前後でしたが、あの年は瞬く間に震災関連のノンフィクションが刊行され、書店のノンフィクション売り場を埋め尽くした。その波が引くと、「愛国」という名の「ヘイト本」が増殖したのです。

青木　そういう「愛国」本って、固定読者がいるんですか。

武田　いなければ、あんなに出ません。明日にでも近隣諸国が攻めてくるというような危機を煽り続ける。明日攻めて来なければ、「明後日攻めてくる!」「来年はピンチ!」と煽る。むろん、政権批判をする側にも煽る傾向はありますが、こういった本の場合は、特定の人種を刃物で斬りつけ続けているわけですね。

まさに本田靖春が『私戦』で問題視したことと同様の現象が起きている。自分が河出を辞めるギリギリのタイミングでしたが、そういった問題意識を共有している若手編集者と営業部員が集まって「今、この国を考える」というフェアを企画したんですね。

青木　あれは素晴らしかった。河出が中心になって「嫌韓」や「嫌中」とは対極にある良質な書籍のフェアを全国の書店で繰り広げました。〈昨今、多くの書籍や週刊誌の記事で、近隣諸国への憎悪がいたずらに煽られています〉と訴えて。

武田　青木さんにもコメントをいただきましたっけ。

青木　うん、武田さんから連絡をもらって。

武田　少しでも抗う方法になり得るかなと。協力してくださった書店にはクレームの電話もありましたが、毅然と対応してくださった書店員の方々に救われました。今はそれよりも「日本スゴい」本がたくさん出ていますね。

青木　そうした現状をどう分析しますか。

武田　通底しているのは自信の無さですよね。日本という国に起きている諸問題を直視するよりも、海の外にある近くの国の文句を言っている方が安楽です。周囲の国に突っ込むべき問題が多くあるのは事実ですが、散らかっている自分の部屋を見ているより、外で燃え盛る火事を見て指さしているほうが、ラクチンですからね。

青木　つまり、そういう状況に出版界も売らんがなでおもねっていると。

武田　そう思います。今や出版の世界もテレビの視聴率のようなもので、こいつは売れると思ったらしゃぶりつくす。「同じような本を」と頭を下げて列をなします。悪循環です。

メディアが立ち上がっても、中身が追いついていかない

青木　先日、ある大手出版社の新書編集部の人たちと話をしていたら、「ウチは断固としてそういう本だけはつくらない、そんなものを出すくらいなら潰れた方がマシだ」と言っていたけれど、そういう矜持ある編集者が少なくなってしまったと？

武田　編集者個々の問題というよりも版元の問題で、どこも自転車操業になってきていますよね。4月に20冊出したら、5月に20冊出さないと、夏に会社が潰れます、と。そのための冊数を確保するためには、「ノンフィクションの文化を守りたい？　おまえらの言う正論もわかるけれど、この帳簿を見てくれよ、あと3冊必要なんだよ」と。

青木　貧すれば鈍する、その結果としての「嫌韓」「嫌中」本や「愛国」本の氾濫だと。

武田　それに安易にうなずかないようにはしてきたつもりですけどね。

青木　しかし、明るい展望は何もない（笑）。

武田　どうしたらいいんでしょうか。それを先輩の青木さんに聞きに来たんです（笑）。今34歳ですが、このまま続けて行くとしたらけっこう先は長いんで。

青木　そうだよね。僕はギリギリで間に合った世代だから。

武田　青木さんは逃げ切り世代ですよ。聞きに来たと言っといてなんですが、だから僕はあまり50歳以上の人のメディア論を信じないようにしているんです（笑）。

青木　僕は去年50になったばかりだけど、さっきから言っているように、確かに間に合った世代ではある。あと10年くらいはかろうじて雑誌もあるだろうし……。

武田　出た！　その考えですよ、出版社の上層部もおおよそそういうスタンスでいるんですよ。このまま10年やって逃げ切って、下の世代を見て「俺たちのころは文化がまだ息づいていたね、だけど最近はどうだ」と飲み屋で語るに違いない（笑）。

青木　確かにそうかも（笑）。しかし、一人の書き手としてはどうしようもない。

武田　構造から変えることはできないでしょうからね。３・11以降、気になるのは時事問題を取り上げる期間の短さについてです。原発、特定秘密保護法、安保法制、今なら森友学園問題や共謀罪、新聞は新聞なりに様々な特集記事を作るけれど、どうしても世の興味に沿っていくので山を越えるとすぐに収まってしまう。今の政権を見ていると、そうやってメディアが忘れるのを待っていますよね。

　ところが、青木さんのお仕事ならば、『日本会議の正体』（平凡社新書）にしろ、『安倍三代』にしろ重版が続いているそうですが、一人の物書きが長期スパンで対象に迫っていくという需要が保たれると信じたいですね。

青木　あとはネットメディアの今後ですか。そういえば、僕に『安倍三代』を書くように勧めてくれた『ＡＥＲＡ』の編集長も会社を辞めて、『ビジネス・インサイダー』というネットメディアに移籍したんです。『週刊朝日』で活躍した編集者たちも近々、ネットメディアを立ち上げるらしいし、良いか悪いかは別として、そういうムーブメントはあちこちで起きつつある。

武田　メディアの立ち上げは相次いでいますが、やっぱりそこで問われるのは、書き手をどう揃えられるか、育成できるかという問題です。今の自分たちの横にいる世代の書き手を見ていると、そこで何かジャーナリスティックなことを書けるような気はあまりしない。

青木　しない？

武田　しない、というか、そういうものを選ぼうとしない。要望に応じてポジティブなことを書くという手癖が主流になりつつあります。そこに疑いがない。

青木　そうか……。しかし、これまでのマスメディア組織って、新聞社にせよ出版社にせよ、ずいぶん恵まれた環境の中で書き手と編集者が幸せな共犯関係を築いてきたわけだけど、それをどうやって再構築するか。ひょっとしたら、再構築なんかされないかもしれないけれど、武田さんたちの世代が果たしてどうするか。さっき言われたことをそのまま言い返せば、僕らは逃げ切れるから（笑）。

武田　青木さんは、ＳＮＳを一切やらないですよね。

青木　だって、面倒くさい。そんな時間があったら好きな本を読むか、酒でも飲んでいた方がいい。だいたい、タダで原稿を書くなんて、世界を支配しつつあるＳＮＳの運営会社に無償貢献するようなものでしょう（笑）。

　でも、やった方がいいとは言われますよ。少なくとも、自分のホームページぐらいはつくっておいた方がいいって。最近の若い編集者たちはネットで書き手の連絡先を検索してアクセスしてくるから、ホームページぐらいつくっておかないと仕事に困るでしょうって。でも、別に困らないからもういいんだって言ってますけど。

武田　だから、それが逃げ切り型なんですよ（笑）。僕らはやっぱりそれがないと。

青木　武田さんはツイッターなんかもやっているけど、ホームページもあるんですか。

武田　ありますよ。
青木　ちゃんとつくってもらったの？
武田　シンガポールに住む友人につくってもらいました。

テレビのコメンテーターをやらない理由

武田　いろいろな人に訊かれてきたはずですが、青木さんはなんでワイドショーのコメンテーターをやっているんですか。
青木　うーん、ひとことで答えるのは難しい（笑）。少し真面目に言うと、僕はもともと通信社の記者として主に新聞メディアの世界で仕事をしてきたわけです。通信社を辞めてからは、週刊誌や月刊誌にノンフィクションといわれる分野の取材原稿を書いて、それを書籍化する仕事をしている。いずれも活字メディア、活字ジャーナリズムです。
　一方、かつてよりは影響力が低下したといわれても、そうしたメディア界でテレビメディアの影響力っていうのは圧倒的に巨大でしょう。視聴率わずか１％で40万人ともいわれる。特にワイドショーとか情報番組と呼ばれる分野は、自分たちで独自にネタを掘り起こすことは少ないけれど、ニュースの拡声器のような役割を持っていて、いわゆる世論のようなものの方向性をかなり決定づけてきたと僕は思ってきた。

最近はだいぶ少なくなったけれど、そういう情報番組って、たとえば凄惨な事件が起きたりすると、ものすごく集中的に繰り返し取り上げる。それが何度か続くと、なんだか日本の治安はものすごく悪くなったようなイメージが広がる。実際、タレントのコメンテーターなどは「最近は物騒ですね」「日本も欧米並みになってきた」なんて発言し、そうしたムードを裏打ちしてしまう。

でも、実際は違う。少なくともこの数十年、日本の治安は悪くなってなんかいない。景気が悪いといわれても治安が悪化しないのは逆に奇妙なくらいだけど、むしろ良くなっている。そういうとき、今なお巨大な影響力を持つテレビメディアの片隅で、事件取材を続けてきた僕が果たせる役割はあるんじゃないかとも思う。

武田　物書きって、一つのテーマに対して、これは４００枚書かなきゃいけないと思いながら取り組む。でもワイドショーって15秒で端的にコメントをお願いします、というメディアです。それは物を書くという作業の真逆にあるように思えます。続けていると手ごたえがあるものなんですか。世論に大きな影響力を与えるものだというのは分かります。自分がコミットしていくことによって変わったな、という感触があるのですか。

青木　それは正直、わからない。ただ、当たり前の話だけれど、テレビメディアの現場にも、きちんと取材したファクトを伝えるという作業に真摯に取り組んでいる連中はいる。ヘイトな流れに抗って、メディアの役割を果たそうと踏ん張っている連中もいる。そういう連中に求められ、僕が果たせる役割があると思えば、可能な限り付き合いたいとも思う。

とはいえ、僕が自分で考えてポジションをとってきたというより、その場その場で流されてきたところが大きいんだけど（笑）、もともとは通信社の記者ですからね。自分で積極的に肩書を名乗ったことはないし、今の名刺には肩書すら書いてないんだけど、ノンフィクションライターとかノンフィクション作家というより、僕はジャーナリストと呼ばれることが多い。そういう意味では、別に媒体にとらわれず、メディア世界に関わるいろいろな仕事をせざるをえないポジションなのかもしれない。

武田　確かにそうですね。

青木　もちろん、武田さんが言うように、４００字の原稿用紙に３００枚、４００枚書くという作業と、15秒とか20秒とかでコメントするテレビの作業って、全然別物でしょう。ただ、大きく言えばメディアというか、同じジャーナリズムの仕事でもある。そういう感覚が僕にはある。ただ、本業は活字だという想いも強固にある。ジャーナリストと呼ばれる人たちはテレビに出ると、活字を紡がなくなるケースが……。

武田　だいたいそうなってしまいますよね。

青木　そう（笑）。でも僕は、ノンフィクションを書く作業は決してやめない。それが一番楽しいし、それがなくなったら存在意義もなくなると思うから。逆に武田さんだって、テレビに出ればいいのに。

武田　ワイドショーからは、たまに依頼いただくんですが、断っています。

青木　なぜ？

武田　自分の仕事を固めた上でやらないと、あっという間に消費されますから。

青木　なるほど。それも事実ではあるし、逃げ切り世代の僕がエラそうに言える話じゃないから（笑）。

（２０１７年３月21日）

武田砂鉄（たけだ・さてつ）
１９８２年、東京都生まれ。ライター。出版社勤務を経て、２０１４年からフリー。『cakes』『文學界』『ＶＥＲＹ』『暮しの手帖』『ＳＰＵＲ』『ヘドバン』等で連載を持つ。２０１５年、『紋切型社会　言葉で固まる現代を解きほぐす』（朝日出版社）で、第25回Bunkamuraドゥマゴ文学賞受賞。２０１６年、「第９回（池田晶子記念）わたくし、つまりNobody賞」受賞。他の著書に『芸能人寛容論　テレビの中のわだかまり』（青弓社）、『日本の気配』（晶文社）、『わかりやすさの罪』（朝日新聞出版）などがある。

第5章

白川優子

とにかく戦争をとめなければと痛感しました

対談のために訪ねた都内の「国境なき医師団」のオフィスに現れたのは、どちらかといえば小柄で、とても華奢で、柔和な笑顔が印象的な女性だった。紛争地に赴く看護師とはいったいどれほど強靭なのかと考えていた私の先入観がいかに陳腐かを、まずは思い知らされた。だが少し深く話を聞いていくと、その小柄で華奢な身体に決して折れない鞭のような芯があることに気づかされ、ああやはりただものではないのだとしみじみ感じたりもするのだった。

その白川優子が活動の舞台としている「国境なき医師団」は、独立・中立・公平な立場で世界各国の医療・人道支援活動を行う民間・非営利の国際組織である。１９７１年にフランスで設立され、日本事務局は92年に発足した。現在は世界各地に計38の事務局を擁し、活動地はアフリカ、アジア、中東、中南米など地球規模に広がっている。

主な活動はもちろん、さまざまな理由から基礎的な保険医療サービスさえ受けられない人びとへの医療的支援であり、その原因は武力紛争や貧困、自然災害など多岐にわたる。日本事務局によれば、２０１９年には72の国と地域でスタッフが活動し、日本からも１００人のスタッフが34の国と地域に派遣された。その献身的な活動が評価され、１９９９年にはノーベル平和賞も受賞している。

これもまた私の認識不足ゆえなのだが、「国境なき医師団」という名称から活動の主体は主に医師なのだと思いこんでいた。だが、医師はもちろん白川のような看護師も多数派遣され、世界各地の現場で救命に尽力しているのだという。

この国では昨今、ボランティアなどを目的に紛争地や被災地を目指す若者たちに「自己責任論」などという愚劣な罵声を浴びせられる風潮が強いが、白川はそんな声をほとんど気にもせず実に軽やかに、しかししっかりとした信念を芯に抱いて各地を飛び回っていた。

白川　今日はありがとうございます、会いにきてくださって。

青木　こちらこそ。白川さんには先日、僕がレギュラー出演しているラジオ番組にゲストとしてきていただき、もっとじっくりお話を伺いたいと思っていました。国境なき医師団に所属する看護師として世界各国の紛争地で活動されていて、最近はその経験を綴った著書『紛争地の看護師』（小学館）を出版されましたが、これまで行かれたのは何カ国になりますか。

白川　9カ国ですね。紛争地だけではなくて、フィリピンの台風被害やネパールの地震被害の現場などにも入っていますから。

青木　シリアや南スーダンといった紛争地へ行く一方、自然災害による被災地などでも活動されてきたわけですか。その派遣先は自分で選べるんですか。どういう基準で決まるんですか。

白川　同じ看護師でも専門分野があるんです。医師を例にした方がわかりやすいかもしれませんね。ごぞんじのようにお医者さんには内科、外科、小児科などの専門があります。そうした専門のうち、たとえば戦場で最も必要とされてくるのは……。

青木　やはり外科ですか。

白川　ええ。どうしても外科のお医者さんが必要になります。一方、内科で感染症に強いお医者さんなら、感染症が蔓延しがちな被災地などが多くなる。もちろん紛争地で内科のお医者さんが必要になるケースだってあるわけですが。

青木　なるほど。医師と同様、看護師にも得意分野はありますからね。

白川　はい。自分の持っているスキル、経験と現場のニーズをマッチングさせるシステムが国境なき医師団にはあります。だから得意分野や経験によって派遣先は変わります。

青木　そういう中で白川さんは……。

白川　外科に強いんです。

青木　ご著書を拝読すると、看護師として白川さんは手術室の管理というか、そのオペレーションに長く携わっていらっしゃったようですね。そういう分野に強いと、必然的に紛争地が多くなる。

白川　そういうことになりますね。決して自ら選んでいるわけではないんです。私は幼いころから国境なき医師団に入りたいと考えていて、ずっと思い描いてきたイメージというのは、アフリカ大陸で栄養失調などに苦しむ子どもたちの世話などでした。

青木　そうか、栄養失調の子どもたちも国境なき医師団の支援対象なんですね。

白川　はい。栄養失調の子どもの支援では、いろいろなアプローチが必要になります。食料の提供は国境なき医師団の主な役割ではありませんが、栄養失調の医学的な治療や物資支援などを行っています。

シリアではベランダで寝起きしていた

青木　そうした派遣された場所のうち、白川さんにとって最も印象深いのはシリアですか。ご著書の中でも冒頭からシリアでの体験がなまなましく記されていますね。

白川　どこもそれぞれ印象深いんですが、シリアは２０１２年に最初に入ったのかな……。当時は内戦が勃発したばかりで、大変な怪我をした人たちが運ばれてきましたが、まだそれほどひどい状況ではなかったんです。「この戦争っていつ終わるのかな」ってみんなが言っていたくらいの段階から、私はこれまで現地に4回入って、あれよあれよという間に状況がどんどん悪い方向に行ってしまって……。

　同じくイエメンにも4回入っているんですが、こちらは最初からシリアと比べものにならないくらい悲惨な状況でした。もともと貧しい国ではありましたが、それがますます悪くなってしまった。そういう意味ではシリアもイエメンも、入れば入るほど気にかかる国になっていますね。

青木　最初にシリアへと入られたのが２０１２年とおっしゃいましたね。アラブ諸国に拡散した民主化運動などの流れを受け、シリアで政府と反政府勢力の騒乱がはじまったのがその前年、２０１１年の3月でした。ところが大国の思惑なども絡み合って紛争が拡大し、いまや世界最大の難民流出国になってしまいました。

白川　そうです。政府側と反政府側の二つの勢力が争いをはじめてしまった。その次に私がシリアに入ったのは6カ月後だったでしょうか。前回とまったく同じ場所に入ったんですが、伝えられるニュースもいよいよ怪しくなってきていて、実際に現地に入ってみると状況が様変わりしていました。目にするものすべてが戦闘に結びつくようなものになってきて、不気味な旗までが翻っていて……。

青木　いやゆるイスラム国（IS）の黒い旗ですか。

白川　ええ。迷彩服姿で銃を持った人たちが外をウロウロしていて、村の人びともみんな黒い服を着はじめました。それまでシリアはわりとオープンだったんです。ところが女性たちもアバヤやニカーブで全身を覆い、つまり目しか出さない装いに変わりました。私たちの病院にも兵士とかテロリスト、過激派と呼ばれるような人たちがくるようになって……。

　もちろん私たちは医療者として、どの国であっても中立でなくてはいけませんし、ましてや国境なき医師団は厳密に中立をうたっていますから、どのような方であっても患者として接します。武器は院内に持ち込まない、という点だけは理解してもらって、どのような勢力の人でも治療に当たる。動揺しながらも、看護師として派遣されている私は、それに集中しなければいけないし、実際に動揺している暇なんてありませんでした。とにかく治療しなくちゃって。

青木　ただ、環境は過酷ですね。ご著書を読むと、白川さんが寝起きしていたのは、病院になった建物のベランダや屋上だったとか。

白川　そうです。

青木　本の表紙に使われている写真がそれですか。これは完全に屋上というか、屋外で寝るようなものですね。

白川　そう。屋上だから空が見えちゃう。ベランダにつくった寝床は裏表紙の写真になっています。

青木　ああ、これですか。半屋外での寝起きは相当に過酷ですが、ご著書の中では、ベランダで寝ていると救急車が到着する気配と様子を真っ先に知ることができて便利だった、とも書かれていました(笑)。

白川　そうなんです(笑)。でも、運ばれてくる患者さんの状態を真っ先に知るのはとても大切で。特に空爆や爆弾で負傷した患者さんの場合、とにかくすぐに手術をしなくてはなりませんから。

青木　銃撃などによる負傷とは違うんですか。

厳しい環境での活動は応募する時点で覚悟

白川　もちろん、銃撃を受けた患者も大変なんです。ただ、銃による傷の場合、可能性としてはオペ室に運ぶ必要がないこともあります。受けたのが一発だったり、骨などに当たっていないケースもある。中にはひどい怪我を負った患者さんもいますから、それは本当に大変なんですが、手術までは必要ない可能性もある。

一方、空爆で負傷した患者さんや地雷の被害を受けた患者さんはまったく違います。そういう患者さんが運ばれてきた場合、その瞬間に覚悟を決めなくちゃいけないと思うくらいにひどい怪我の状態なので。爆弾や爆発の患者さんは、とにかくすぐに手術しなければなりません。

青木　そんなにひどい状態で？

白川　そうなんです。空爆にせよ地雷にせよ、爆発そのもので負傷したり、亡くなってしまうこともあるんですが、破片などで負傷したり亡くなるケースも多いんです。風圧がものすごいですから、少し離れた場所にいても体じゅうに破片が突き刺さってしまって。それがガラスなどの場合もあれば、コンクリート片の場合もある。すると一カ所だけの手術じゃすまなくて、体じゅういろんなところの手術が必要になってきます。

青木　破片を取り出すわけですか。

白川　取り出すんですが、きりがないんです。体じゅうに破片が突き刺さっていて、とてもではないけれど取り出しきれない。だから、命にかかわるところだけをまず診て、ダメージコントロールをするしかない。あとは包帯をして様子を見るしかないケースも多くありました。

青木　それほど厳しい環境で活動に従事して、白川さんはもちろん、医師や看護師といったスタッフの方々のメンタルは大丈夫なんですか。

白川　厳しい環境での活動は応募する時点でわかっていますし、それなりに覚悟のある人たちばかりですから。それに、あまり若い人がいないんです。若くても30代。たまに20代もいますが、大抵は30代よりも上で、40、50、60代の人たちばかり。みんなそれなりの経験を積んできていますからね。自己管理もしていますから大丈夫です。

青木　なるほど。

白川　ただ、これがメンタルの問題のカテゴリーに入るかどうかわかりませんが、私は日本の花火大会がどうにもダメですね。先日も隅田川の花火大会の日は、わざと東京から実家に逃げ出しました。

青木　花火の音が……。

白川　ええ。まさにあんな感じなので。

青木　紛争地の爆音と似ていると。

白川　似ています。お腹にくるような振動とか、内臓にまで響き渡るような音とか……。花火の方が少し軽いかもしれませんが、あの連続音。1発や2発ぐらいならともかく、花火は音が連続するでしょう。南スーダンがちょうどそういう状況だったので、思い出してしまって、ちょっとイヤになりますね。

青木　白川さんご自身もそうだし、現地で一緒に仕事をした仲間やスタッフもそうでしょうが、いくら中立の立場での医療支援といっても、命の危険に直面してしまうこともあるでしょう。

白川　本の中にも書きましたが、シリアで銃を持った警察が踏み込んできたときは危険を感じました。空爆にしても、もしかしたら誰かが死んでいてもおかしくなかった。イラクに派遣された際は、モスル奪還の時期に当たったことがあったんです。

青木　シリアの隣国イラク北部の都市モスルは、イスラム国の最大拠点になっていましたね。これに対して２０１６年の10月、イラク軍が奪還作戦に乗り出した。激しい戦闘が9カ月も続き、イラク軍が解放を宣言したのは２０１７年7月でしたね。

白川　ええ。解放されるにつれて市民がこちらにも続々と逃げてきましたが、ＩＳの人たちもその中に紛れ込んでいる可能性はある。当時はあちこちで自爆テロが頻発していて、人が集まるところにテロを仕掛けると考えれば、病院もその一つになりかねませんから、常に緊張していました。

看護師の仕事がイヤだと思ったことは一度もない

青木　そもそもの話ですが、白川さんはいったいなぜ、国境なき医師団に入ろうと思われたんですか。

白川　幼いころに国境なき医師団の存在を知ったとき、本当にすばらしいと感じたのが最初です。魂とか、心の部分が反応した。だから、言葉ではうまく説明できないんですが……。

青木　国境なき医師団の存在を知ったのはテレビかなにかで？

白川　ええ。おそらくドキュメンタリー番組だと思うんですが、〈協力・国境なき医師団〉というようなテロップが出てきて……。

青木　何歳ぐらいのときですか。

白川　7歳ぐらい、小学校2年生ぐらいのときです。それと私は本が大好きで、図書館などにも通いつめていて、読んでいた本には戦争の話がよく出てきました。漫画もそうですよね。『キャンディ・キャンディ』なんかを見ていても戦争の話が出てきますし、広島・長崎の原爆の本や絵本、そういうものを読んだ記憶がすごく残っていて、戦争というのは本当に悲惨なものだという記憶も当時からインプットされていました。

そうした中で国境なき医師団の存在を知って、子ども心に、本当に、純粋に、すごいなぁと思ったんです。国とか人種とか、宗教とか政治といったものを超えて、平等で中立の立場から活動する医療者がいるというのは素晴らしいって。

青木　ご両親やご家族に医療従事者、お医者さんや看護師さんがいたわけではないんですか。

白川　いないんです。

青木　ご著書を読むと、高校卒業時に友人が看護師になるという話を聞いて、「ああ、これだっ！」と思われたとか。

白川　そうなんです。とにかく周囲に病院勤めの人がいなくて、入院している人もいないし、病院なんて行く機会がありませんでしたから。おそらく心は求めていたと思うんですが、「看護師」という言葉が頭の回路の中になかったんですね。そんなとき、看護師になりたいという友だちがポッと現れて、「あーっ、看護師だー！」って（笑）。「私の心が求めていた職業はそれだー！」って（笑）。

青木　それで高校を卒業して看護師の専門学校に。

白川　ええ。高校を卒業後に定時制の看護学校に入って、定時制ですから同時に病院でも働きはじめました。半日は病院で働いて、あとは学校です。だから18歳のときからずっと病院勤めをしている感じですね。それがものすごく楽しくて、本当にこの道に入ってよかったと毎日思いながら働いていていました。

青木　なにがそれほど楽しかったんですか。

白川　看護学校で最初に習ったのは解剖学や生理学だったんですが、人間がどういうつくりになっていて、どういう仕組みで生きているとか、新しいことを学べるのがまずは楽しかった。でも、とにかく勤務が楽しかった。当時はまだ学生で資格がありませんから、注射や投薬などは当然できませんけれど、看護師さんの下で働きながら患者さんの体を拭いたり、会話したりするのがすごく楽しかった。

青木　お世話好きなんですかね（笑）。

白川　そうなのかな（笑）。病院にはおじいちゃんとかおばあちゃんがたくさんいて、その中で戦争の話などもけっこう聞きました。自分が戦争に行った際はどうだったとか、こういうふうにして生き残ったとか、こういうふうに苦労したとか、それはすごくよく聞きました。

青木　ただ、病院の仕事は一般的に過酷だといわれますね。勤務が不規則な上、相当な長時間労働。看護師もそうでしょう。

白川　そうです。でも、みんな誇りを持って働いているし、仲間もいるし、やりがいの方が大きいですよ。患者さんたちと接していることがキツいとかイヤだと思っている看護師はいないはずです。もしそういう気持ちがあるとすれば、やはりほかの面でしょう。残業がなかなか終わらないとか、人数が足りなくてバタバタしているとか……。

青木　夜勤などもあるんでしょう。

白川　もちろんありました。

青木　そういう過酷な勤務の中でも、看護師という仕事自体がイヤだと思ったことは一度もないと。

白川　ないない。一度もないです。

青木　天職ですね。

白川　はい。もし国境なき医師団に参加していなくても、私は看護師として生きていきたいし、看護師が私の人生の軸だと思ってます。

楽しかったオーストラリア留学

青木　そうして看護師となって、病院にも何年か勤め、それなりのスキルも身につけて、「よし」と思って国境なき医師団のドアを叩いたと。

白川　そうです。あれは看護師になって3年ぐらい経ったころでした。看護師って3年目くらいで独り立ちするといわれていて、新人教育の役職にも就くようになって、ちょうどそのころに国境なき医師団がノーベル平和賞をとったんです。

青木　１９９９年でしたか。

白川　ええ。それが大きかった。子どものころからの憧れに、自分も一歩を踏み出そうというきっかけになったのがノーベル平和賞でした。

青木　ところが、大きな壁が控えていた。

白川　そう、英語の壁（笑）。少し考えれば気づくことなのに、思い立ったらパッと行動を起こしちゃう性格なので。

青木　だから英語のことなんて考えずに国境なき医師団のドアを叩いてしまったと（笑）。でも、その壁は意外に高いでしょう。

白川　はい。私はけっこうポジティブな性格ですけど、そんなに簡単に越えられない壁なので苦しみましたね。

青木　そこでオーストラリアへの留学を決めたわけですか。でも、ご著書を読むと、楽しかったようですね。

白川　覚悟も決まっていたし、本当に楽しかった。背を押してくれたのは母の言葉でした。「そんなに焦らなくてもいいよ」って。「40歳ぐらいを人生のピークだと考えなさい」って。母にそうアドバイスされて、焦りはなくなって、「よし！」と思い定めてまたイチから。だからめちゃめちゃ楽しかった。

青木　オーストラリアは居心地がよかったと。

白川　よかったですね。なにがよかったかといえば、私はメルボルンにいたことです。シドニーに次ぐ大きな都市で、かなりの多人種、多文化都市なんですね。

　そもそもオーストラリアは移民の国で、移民を歓迎して経済などを成り立たせていますから、いろいろな人種の人びとが共存しています。インドのサリーを着ている人もいれば、アラブの国の格好をしている人もいる。イスラム圏の女性もいる。私が勤めることになった病院も多人種、多文化がうまく調和していて、差別なんて一切ないし、互いを理解して支え合いながら生きているって強く感じました。

青木　これもご著書の中に出てきますが、一時はオーストラリアに永住しようと思ったこともあったそうですね。

白川　ええ、それは本当に思いました。素敵な海もあるし、自然は豊かだし、街並みもきれいで、しかもお給料や労働条件がすごくよかった。

青木　日本の医療現場の労働環境とはぜんぜん違う？

白川　まったく違います。たとえば日本の病院で夜勤をする場合、私は1人で20人ぐらいを担当していました。それがオーストラリアでは4人が上限。それ以上は絶対増やさない。

　そして残業という概念がない。残業という言葉があるにはあるんですが、もし残業しなければならないときは、必ず特別な許可をもらってやるんです。でも、私は残業を一度もやったことがない。しかも残業して支払われるお給料のカテゴリーは「ペナルティ」なんです。病院のペナルティ。残業させてしまってごめんなさい、という感じです。

　患者さんも自立していました。これを美談にしすぎるのは誤解を生むかもしれませんが、日本の看護師さんは優しいので、なにもかもお世話してしまうんです。一方、できることは自分でやりなさいというのがオーストラリアのスタイルなんですね。だから患者さんもそんなに甘えてこない。病院側の業務も細分化されている印象です。

青木　というと？

最高だった海外での生活を卒業

白川　日本の場合、看護師が1人の患者さんを担当すると、その患者さんが手術をするから受け持ったとしても、糖尿病を併発すればそちらも担当しなければなりません。一方、オーストラリアでは糖尿病に強い専門の資格を持った看護師が別についてくれるんですね。私はそちらをやらなくていい。

青木　お話を聞いていると、医療現場はまさにそうですが、日本も労働環境の根本的な改善にもっと取り組まなければいけないと痛感しますね。ご存じのとおり、いま日本では東京医科大学のスキャンダルが問題になっています。入学試験の際、長年にわたって女性よりも男性が優遇されていたと。本来なら過酷な医療現場の働き方を見直さねばならないのに、過酷な労働環境には女性が適応できないことを理由に挙げ、入試での男女差別はやむを得ないことだ、というような議論すら一部にあります。それがオーストラリアではまったく違う。

白川　違います。すぐにストライキも起こしちゃうし（笑）。

青木　そうなんですか。

白川　日本で働いていたころ、看護師が有給休暇をとるなんて、まず考えられないことでした。ほとんどとれないから、余らせて捨ててしまうしかない。私だけではなく、同僚も同じです。ハネムーンに行くときだって、休暇は土日を合わせてせいぜい5日ぐらい。いえ、5日もとれればよい方です。

　でも、オーストラリアではきちんと休めました。有給だって、たまたま私が使うのを忘れていたら、すごく怒られてしまったほどでした。なんで使わないんだって（笑）。医療制度や病院経営などの詳細まではわかりませんが、有給休暇はとらないと怒られるし、残業なんてほとんどありません。

青木 しかも給料もよいと。

白川 私は日本よりよかったですね。

青木 最高じゃないですか（笑）。

白川 ほんと、最高（笑）。オーストラリアにいた7年間、旅行にもしょっちゅう行ってましたし、暮らしていた海辺のフラットは心地よかったし、仲間にも恵まれ、本当に楽しかった。永住権もとりましたから、ずっといようと思えばいられたんです。でも、やっぱり最後はそれを捨てました。

青木 白川さんがなぜオーストラリアに行ったかといえば、快適な生活をするためではなかったわけですからね。

白川 ええ。それに虚無感を覚えるようにもなっていましたから。

青木 虚無感？

白川 あれは虚無感としか形容のしようがないんですが、いつからかぜんぜん楽しくなくなってしまって……。

青木 やるべきことがほかにあると思ったからでしょうね。でも、オーストラリアでの生活を捨てたのは、いまでも後悔はありませんか。

白川　ないですね。去年だったか一昨年か、たまたまメルボルンに戻ったんです。永住権が失効しないように戻って、ためしに1カ月か2カ月滞在したんですが、心はぜんぜんときめきませんでした。友だちも変わっていないし、風景も街並みも変わっていない。なにも変わっていなかったけれど、またここに住みたいという気持ちにはなりませんでした。

青木　それはなぜですか。

白川　わかりませんが、私の人生のステージの中で、あの7年間は確実に必要だったけれど、それはもう卒業したということだと思うんです。

青木　そうしていいよいよ国境なき医師団に参加されたわけですが、オーストラリアでの幸せな生活で感じた虚無感は払拭されましたか。

白川　はい！　本当に心からうれしくて、それこそ水を得た魚のように、すごく生き生きとしたのを自分でも感じました。これはいまでもそうです。

とにかく戦争を止めたいという思い

青木　ただ、それこそキツい仕事でしょう。ブラック体質が残る日本の病院勤務とは質が違うかもしれないけれど、キツさはそれ以上で。

白川　もちろんそうです。でも、それを辛いと思わない。大変だけど、それ以上のやりがいはあるし、私たちの活動で助かる人が確実にいるんです。日本には就業看護師が約１２０万人、准看護師を合わせて１６０万弱人いるといわれていて、私ひとりが抜けたって医療体制が崩壊するわけではありませんが、その1人の看護師を切実に欲している地域、人びとがいる。じゃあ誰が入るのか。私が入るしかないっていう気持ちになっちゃう。

青木　これは余計な詮索になってしまいますが、国境なき医師団の活動で得られる給料というか、収入はどの程度なんですか。

白川　お給料はきちんともらえます。契約をして、雇用保険や社会保険の契約もして。お給料もいまはちょっと上がって、初任給で月に17万円ぐらい。

青木　でも、普通に日本で病院に勤めていた方が給料はいいですよね。

白川　それはもちろん（笑）。

青木　となると看護師さんたちはもちろん、お医者さんで国境なき医師団に参加している人たちは……。

白川　ええ、お金の問題じゃない。普通に働いていれば相当稼げるのに、本当にお金じゃないんですね。

青木　ちなみに国境なき医師団に日本から参加している医師は何人ぐらいですか。

国境なき医師団の広報担当者　いまアクティブな登録で１００人ぐらいです。

青木　看護師は？

広報担当者　看護師は50人ぐらいですか。

青木　お金ではなく、やりがいや使命感で働いている方々がそれだけ集まっていると。

白川　そうです。だからやっていて私も気持ちがいいんです。初めて会った人でも、すぐに仲間になってチームが組める。スイス、イタリア、インド……、私も派遣先ではさまざまな国の人と働きましたが、みなさんしっかりとした目的を持っていて、共通の目標があるので、それに向かってすぐにまとまることができます。

青木　どうですか、実際に国境なき医師団のメンバーとして紛争地などに入り、白川さんの中でなにか変化はありましたか。戦争だったり、政治だったりというものに対する考えとか、姿勢とか……。

白川　あります。看護師として紛争地などに入ることになって、医療チームとしての医療提供だけではなくて、これはもう伝えなくちゃいけないって、本当にそう思うようになりました。

青木　ご著書の中にも、ジャーナリストになろうと思ったと書かれていますね。

白川　ちょっと恥ずかしいんですが、本当にそう思ったんです。

青木　それはまたどうして？

白川　とにかく戦争を止めたいって思ったんです。とにかく空爆を止めなきゃと思って……。私は国境なき医師団に入るのが夢で、留学までして頑張って、本当に毎日充実していますが、一方でシリアなどでは空爆の被害に遭った患者さんたちが次々に運び込まれてくる。妊婦さんも乳飲み子も、おじいちゃんもおばあちゃんも次々に運ばれてきて、救っても救っても、また運ばれてくる。そんな毎日なんです。もうきりがない。そんなとき、これは空爆を止めなくちゃいけないって、本当にそう痛感したんです。

青木　シリアの惨状を伝えることで、空爆や戦争を止めさせたいと。

白川　ええ。実際の紛争地がどれほど悲惨な状況になっているか、国際社会に知らせたい。それほどひどいものを私は見てしまったんです。

紛争地での自己責任論が壁になってしまうかもしれない

白川　報道でも爆音や銃声が轟く様子は時おり流れますが、そんなレベルじゃない。運ばれてくる中には血だらけの患者さんもいるし、ぐちゃぐちゃになって人間の姿をとどめていない患者さんもいる。それが子どもだったり、赤ちゃんだったりもする。これを知らせて、とにかく戦争や空爆を止めさせなくちゃって。今回の本を書いたのも、そういう思いからなんです。

青木　僕にはシリアのような紛争地での取材経験はありませんが、ジャーナリズムの世界に関わっていると、白川さんがおっしゃるのとは別の想いというか、負い目のようなものを感じることがあるんです。

というのも、ジャーナリストはさまざまな現場で取材をし、知り得た事実を世界に伝えようとはしているけれど、人の命を直接的に救っているわけではない。むしろ取材現場が悲惨であればあるほど、伝えられるニュースの価値が大きくなったりする。これは悲劇を食い物にして商売しているようなものじゃないか、と思うことすら僕にはあります。
　でも国境なき医師団に参加している白川さんのような方々は、確実にひとつひとつの命を救っている。お金や栄達などとは無縁な世界で、ひとつひとつの命と現場で向き合っている。そんなとき、僕らの仕事なんて所詮虚業じゃないか、なんて感じてしまうことがあるんですね。
　ところが白川さんは、現場でひとつひとつの命と向き合ううち、悲劇を根本的になくすためには戦争や空爆を止めなくてはならず、そのためには悲劇の実情を広く伝えるジャーナリズムの必要性を痛感されたわけですか。

白川　そうですね。

青木　そうした紛争地に入るジャーナリストやボランティアに対して、最近の日本では「自己責任論」なども飛び交っています。これをどうお考えですか。

白川　もちろん、よくは思っていません。ただ、私も遺書を書いておかなければと考えたことがあって。それは別に両親宛てでもなんでもなく、本当に書きたかったのは、政府やメディアの人たちに対してでした。

青木　どういう内容で？

白川　あまり騒がないでほしいって。私は純粋に人道支援のために入っている。それをわかってもらうような手紙を書こうと思ったんです。かわいそうでもなんでもない。もし死んだとしても、これはあくまでも自分の意志なんだって。
　それに私、別に日本人として行っているわけじゃなくて、血の通った人間として行っているつもりなんです。私と同じように血の通った人間が、たまたまそこに住んでいたというだけで虐げられ、恐怖にさらされ、助けを求めている。医療へのアクセスが断たれてしまっている。私は同じ人間として、それをやっぱり放っておけないから行っている。
　つまり日本人の白川優子がイエメンの人とかシリアの人を助けに行くんじゃなくて、あくまでも人間同士として考えたいんです。もっと基本的なところで、国とか国家とかを超えたいんです。だから日本政府がどうのとか、そういうのは私にとっては……。

青木　どうでもいいと。

白川　なんて言ったらいいか、うまく言葉が見つからないんですが……。

青木　つまり日本でどんなふうに言われようとも、白川さんは助けを必要としている人たちのもとに行く。

白川　そうですね……。たとえどう思われようが行くからと、そういうことかな（笑）。でも、なんでもかんでも自己責任とか、人質になったらどうするんだとか、税金を使って迷惑をかけるなとか、そういう風潮が広がると、私のあとに続きたいと思っている看護師さんやお医者さんの壁になってしまうかもしれない。それは本当に残念なことだと思います。

青木　まったく同感です。でも、白川さんの本を読んで紛争地の現実を少しでも知り、白川さんのあとに続く人びとが増えるといいですね。

白川　はい。だから私、本を出して本当によかったと思います。伝わっている実感がいま、ものすごくあるので。

（2018年9月13日）

白川優子（しらかわ・ゆうこ）

1973年、埼玉県生まれ。7歳の時にテレビで観たMSFに感銘を受ける。高校卒業後、4年制（当時）の坂戸鶴ヶ島医師会立看護専門学校に入学。卒業後は埼玉県内の病院で外科、手術室、産婦人科を中心に約7年看護師として勤務。2003年にオーストラリアに渡り、2006年にオーストラリアン・カソリック大学看護学部を卒業。その後、約4年間、メルボルンの医療機関で外科や手術室を中心に看護師として勤務。2010年、MSFに参加、イエメン、シリア、パレスチナ、イラク、南スーダンなどの紛争地に派遣される。ネパール大地震の緊急支援にも参加。2010年8月から2017年7月までの派遣歴は通算14回に。2018年には初の著書『紛争地の看護師』（小学館）を上梓。

第6章 河野洋平

植民地支配をした過去はなくならない

河野洋平という練達の元政治家と対話すれば、政治の無惨な変質をあらためて思い知らされる。かつてはこのような政治家が政界のどまんなかに存在し、政府や与党の要職を務めていたのだから。

一時は新自由クラブを結成して自民党を飛び出し、金権腐敗にまみれた政治の刷新を訴えた河野だが、以前と以後は一貫して自民党に所属し、党では１９９３年から総裁を、政府では官房長官や外相、副総理などを歴任した。２００９年に政界引退するまでの６年近くは衆院議長まで務めている。

つまりは戦後政治を担った自民党の主流を長く歩み、その政治的スタンスはせいぜいが穏健保守といったところだった。少なくとも、かつての自民党では。

だが、おそらくは宮沢内閣の官房長官として１９９１年に発した談話――いわゆる慰安婦問題に関して「心からのお詫びと反省」を表明した政府談話の主と目されたことが作用したのだろう、この談話に妙な憎悪と敵意を燃やして台頭した歴史修正主義者らが盛んに煽り、河野は異様な攻撃にさらされてきた。河野自身、そうした立場からの発言が呼び起こしかねないハレーションを懸念し、最近は積極的発言を自制してきた気配がある。

したがって、これほどまとまった形での発言録は近年珍しい。そしてその発言を記録した本対談は、日本政治の変質と現在の歪みを浮かびあがらせるものになっている。逆に言うなら、かつての保守政治がいかに幅広く、深い叡智を有していたかを思い知らされるかもしれない。「私たちは一度、核の傘を脱いでみたらどうか」などという提言は、昨今の凡百のリベラルもなかなか口にできない。

いや、これもまた保守の側が口にすることの重みを知っての発言とみるべきだろう。やはりかつての自民党政治は相当にウイングが広く、懐も深く、繰り返しの嘆きになってしまうが、現在のそれとは隔世の感がある。

青木　先の参院選（２０１９年7月に実施）は50％を割り込む低投票率で終わり、なのに「一強」と称される政権は盤石のようです。河野さんは１９６７年の初当選から政界引退まで40年以上も衆院議員を務め、自民党の総裁や外務大臣、そして衆院議長などを歴任されたわけですが、戦後七十数年が経過した現在の日本政治を率直にどうごらんになっていますか。

河野　いろいろ気になることはありますが、選挙運動のありようが最近は気がかりですね。

青木　というと？

河野　戦後、新しい憲法の下で選挙が行われるようになり、私が最初に出馬したのは50年も前の話ですが、当時、衆議院議員の選挙期間（公示から投票まで）は30日間あったんですよ。それが現在は12日間です。どんどん縮められてしまいました。

　また、むかしの選挙は、良し悪しは別にして電信柱にも塀にもビラやポスターをベタベタと貼ったものです。そこには政策などもわりと書いてあったんですが、やりすぎだということでどんどん禁止され、いまは公営の掲示板にポスターを貼るだけです。しかも書かれているのは名前と顔写真程度で、政策や主張はほとんどありません。

青木　確かにそうですね。

河野　それから、むかしは立会演説会なんていうのもありました。立候補した各党の候補者が集まって、それぞれ20分程度ずつ演説をしたわけです。

青木　いまのようにそれぞれの政党や候補者が街頭で演説するだけでなく、各党の候補者が一堂に会して演説し、有権者がそれを聞く機会があったと。

河野　ええ。選挙管理委員会が主催し、各党の候補者が全員並んで、1人あたり20分なら20分、くじ引きで順番を決めてやっていたんです。参加しない候補者がいたりすると、その20分間はみんな黙って時間が過ぎるのを待つというようなこともあったりして（笑）。

青木　その20分はあくまでもその候補者のものであって、他の候補にしゃべらせれば公平性を欠いてしまいますからね。

河野　そうです。ほとんどの候補者はもちろん全員参加しましたが、かつてはそういう選挙だったわけです。そして私の選挙は同じ選挙区から自民党の候補が4人も出ていました。

青木　中選挙区制度でしたからね。

河野　しかも4人の候補が演説会では全員違う話をする。農村の問題をしゃべる人もいれば、商店街の話をする人もいて、外交の話をする人もいる。そこで候補の主張やカラーがはっきりと出るわけです。もちろん社会党の候補も演説するし、共産党の候補も演説をする。

しかし、そうした演説会なども全部やめてしまいました。最近は有権者が選挙への関心を失っていると言われますが、むかしの方がいろいろな方法で呼びかけていたんですね。最近のように公設の掲示板にポスターを貼って、たまに街頭で演説をして、あとは選挙カーで候補の名前を連呼して歩くだけということになれば、やはり有権者は関心を失って投票に行かなくなりますよ。

青木　やはり投票率の低下は大きな問題ですか。

投票しても変わらないというあきらめ

河野　今般の参院選、山本太郎さんの「れいわ新選組」といった新しい政党が登場し、私も注目していましたが、投票率の低下はやはり最大の問題でしょう。48・8%という数字は歴代で2番目に低い。しかも今回の選挙を見ると、期日前投票がかなりたくさんあって、その投票率が16%に達しているんですね。期日前投票はかつて「不在者投票」と呼ばれ、投票日当日に投票できない人だけが対象でしたが、これも規則などが改正され、現在は期日前でもどんどん投票してくれと奨励しています。

もちろんこれで投票率を上げるのは悪いことではありません。ただ、今回の期日前投票が16%ということは、投票日当日の投票率は30%ほどということですよ。これはもう極端に低い。投票率が50%を割り込むというのは2人に1人が投票に行かないということで、これだけで大変な事態ですが、投票日の投票率が30%ということは、もはや選挙自体が民意を反映しているとは言えないような事態だと思います。

青木　まさにその点なのですが、今回の参院選で与党は「勝った」と評されています。あれを「勝った」と言えるかどうかも大いに疑問なのですが、有権者全体に占める自民党の得票率は選挙区でも比例区でも18〜19％程度でした。つまり、20％にも満たない人びとの支持しか得ていないわけです。

河野　そうです。その点に、つまり自民党への支持票の低さという点に触れないまま首相や自民党の幹部は「勝った」「国民は政治の安定を望んだ」と言っていますが、これはとんでもない話だと思います。

それよりも、政治に対する期待感が救いようもないほど低くなってしまったことをまずは取りあげ、おわびするなり、危機感を表明すべきであって、「国民は政治の安定を望んだ」などというのは、自己の都合で事実を曲げて解釈するというミスリードだと思います。

青木　僕の知り合いに40代の女性編集者がいるのですが、もちろん政治意識は決して低くないのに、今回の参院選は投票に行かなかったというんですね。なぜかと尋ねたら、端的に言えば「あきらめ」だと。同じような話を僕は今回、ほかにも何人かから聞きました。

河野　そうでしょうね。いくら投票しても変わらないと。

青木　ええ。なにか良くない方向に行っているのは感じているけれど、いくら投票しても変わらないという「あきらめ」。一方、現政権や与党の支持層だって半数は「ほかに適当な人がいない」が支持理由で、それが最多を占めています。

河野　すごく深刻な現象だと思います。期待感の低さというものは、大部分は与党に向けられていますが、野党に向けられた部分もありますね。野党が本気でひとつになって全力でぶつかり、もしかしたら勝つかもしれないというような形をつくれば、期待感というものがもう少しは出てきたでしょう。だいたい参院選というのは、いつあるかが6年前から決まっているんです。なのに最後まで主導権争いをしてみたり、告示直前までモタモタしていたのでは、期待感が落ちてしまうのは当然です。

一方、圧倒的に強いとされる自民党は、常に現職の候補優先になります。これでは変わりようがない。自民党は最近、変わらないことを逆手にとって「政治の安定が大事だ」「安定しているから経済も順調」「国際的にも認められている」などと主張していますが、現実にはそうではないことを有権者が見抜いている。だから期待感が高まらず、投票率も極度に落ちてしまっている。

自民党のなかで疑似政権交代が起きていた

青木　河野さんだからあえてお聞きしますが、かつての政界にも似たような構図があったのではないですか。いわゆる55年体制の下では、与党と対峙する社会党はまさに万年野党で、常に自民党が政権を担うという構図が長きにわたってつづきました。時にお灸を据えられて議席を減らすことがあっても、常に政権の座に就いていたのは自民党なわけですから、投票に行っても大して変わりばえしないじゃないかというのは、当時も同じようなものだったと言えなくもありませんか。

河野　それでも現在と大きく違うのは、当時は自民党のなかに多様な考え・意見があり、主導権争いがあったわけです。いわゆる派閥争いです。私も当時は自民党にいましたから、自民党的な物言いになってしまいますが、あのころは社会党に政権は渡せないと思っていました。日本が社会主義になるのを望んでいる人は少ないだろうと。一方で、時の自民党政権がダメだというなら、自民党のなかでトップを代える。これは派閥争いを肯定することにもなりますが、自民党が政権を担うにしても、中身がしばしば代わりました。それもかなりドラスティックに。

　たとえば田中（角栄）体制に取って代わったのはクリーンな三木（武夫）さん。これは相当な変化です。右寄りだった中曽根（康弘）体制のあとは竹下（登）さん。中曽根政権であちこちが相当傷ついたのを、竹下さんが癒す。ある人が当時、「竹下政権とは癒しの政権」と言っていました。

　そういった形で、政権を担う党は代わらないけれど、政権の性格はすごく変わったんですね。政党とは本来、ひとつの旗印の下にあるわけですから、そんなに大きく変化するのはおかしな話で、不思議なことでもありますが、当時の自民党はそうだったんです。

青木　要するに疑似政権交代が自民党のなかで起きていたと。

河野　まさにそうです。

青木　しかもタカ派からハト派まで幅広く。

河野　ええ。

青木　だからこそ、かつては社会党や共産党が階級政党、イデオロギー政党だったのに対し、自民党は「国民政党」を自称していたわけですね。では、現在の自民党はどうですか。「国民政党」たり得ていると思われますか。

河野　まったく違いますね。私は自民党を一度飛び出し、新自由クラブという保守新党をつくりました。結局はうまくいかなかったんですが、自民党が安定多数を確保するため、連立政権の一翼を新自由クラブが担っていたことがあるんです。ちょうど中曽根政権の時期です。

当時、自民党が新自由クラブに助けを求め、われわれのなかでも助けるべきか、助けるべきではないか、相当に議論がありました。最終的には助ける形になったわけですが、その際に中曽根さんが何と言ったか。「これでレフトウイングが伸びた」と、そうおっしゃったんですね。

青木　あの中曽根首相が「レフトウイングが伸びた」と？

河野　ええ、中曽根さんがそうおっしゃった。つまり、われわれは少し右に寄りすぎたと。新自由クラブが加わってくれたことでレフトウイングを伸ばすことができたと。中曽根さんの頭のなかには、幅の広いことが大事だという理解はあったんですね。政権政党というのはできるだけ基盤が広いほうがいいという度量。それは民主主義の本来の姿だと思いますが、そういう度量のようなものが確かにありました。

青木　やはりかつての自民党はまさに「国民政党」であり、タカ派の中曽根政権ですら「ウイ

ング の広さ」を肯定的に捉えられていたと。
河野　そういう認識があったんですね。
青木　現在の日本政界がそうした幅の広さや度量を失ってしまったのは、よく指摘されるように選挙制度の変更などで派閥の力が弱まってしまったこともあるでしょうが、ほかの要因もなにかあるとお考えですか。

今は政治家の成熟度が低い

河野　なんといってもやはり、リーダーの資質でしょう。政権の座にある人間がいったいどういう人格か。いったいどういう人間性を持ち、どういう民主主義社会をつくろうと考えているか。とにかく自分が勝てばいいということではあまりに志が低い。振りかえってみると、やはり宮澤（喜一）政権までだったのかもしれません。
青木　どういうことですか?
河野　あそこで自民党は一度政権を失いましたね。初めて野党に転落し、ある意味で自民党は眼が覚めるんです。
青木　宮澤政権に取って代わったのは、日本新党を旗揚げした細川護熙氏を首班とし、小沢一郎氏らが中心となった新生党や社会党など8会派による連立政権でした。1993年のことですね。

河野　ええ。私は宮澤政権の官房長官でしたが、あのころの自民党内には、もちろんいろいろな考えや立場はありましたが、一部には政権の座にあることに倦《う》んで、飽きて、一度は野党になったほうがいいというような意識も蔓延していたんです。

　そういうなかで党は分裂した。小沢一郎さんや羽田孜さんらが出て行き、自民党は初めて野党になり、そこで気づくわけです。政権党と野党とではぜんぜん違うと。役人は説明にも来ないし、これは大変なことだと。とにかく政権に戻らなくちゃダメだと。そうしたなかで私は自民党の総裁になりました。

　それでも当時は非常に立派な政治家が党内にいました。私が尊敬してやまない先輩の政治家、後藤田正晴さんや伊東正義さんが一党員としておられた。本来はそういう方々が総裁をやられるべきなんですが、絶対にやらないとおっしゃって、私などが祭りあげられてしまいましたが、後藤田さんたちに主導していただいて党の政策綱領の改正などにも取り組みました。

青木　その過程で党の綱領から改憲のトーンが薄まることに猛反発したのが、まだ当選からまもない故・中川昭一氏や安倍晋三氏だったわけですね。

河野　そうです。1年生議員として初当選し、自分たちの主義主張のようなことをひたすら訴えて。

青木　つまり、宮澤政権を最後に自民党は一度野党に転落し、時を同じくして新たなタカ派政治家たちが台頭してきた。僕は以前、元文部科学事務次官の前川喜平氏に何度かお話を聞いたことがあって（前川氏との対談は『時代の抵抗者たち』河出書房新社所収）、彼は文科官僚として自民党のタカ派文教族議員と向き合うことが多かったそうですが、同じタカ派でもかつての議員と最近の議員の質の違いを心から嘆いていました。

たとえばタカ派の文教族議員だった奥野誠亮氏（元内務官僚、文部相や国土庁長官などを歴任）などは、呼び出されてさんざん話を聞かされたけれど、その主張には一定の理屈はあって、納得させられるところもあったというんですね。ところが最近のタカ派議員は、怒鳴り散らしたり、自分の主張をひたすら押しつけたりするだけで、しかもその主張にも行動にもまったく深みがないと。

河野　それはもう間違いなくそうでしょう。実は私もかつては文教族だったんです。新自由クラブを結成して自民党を飛び出すまでは文教族。当時の（自民党の）文教部会は、文部大臣や厚生大臣を歴任した灘尾弘吉さん（元内務官僚、自民党総務会長なども歴任）が上座に座り、それはものすごいタカ派でしたが、非常に立派な人でした。全体状況をきちんと見ていて、若手のタカ派がぎゃーぎゃー言うと、きちんと止めたりして。奥野誠亮さんもややそれに近かったですかね。奥野さんは本来、文教族ではなかったんですが、文部大臣になってしまって、私はたまたまその下で文部政務次官だったんです。

青木　そうだったんですか。

河野　ええ。だから奥野さんの下でかなり苦労したんですが（笑）、文教族には灘尾さん以外にも内藤誉三郎さん（元文部官僚で参院議員などを務めた）とか、わりとハト派では坂田道太さん（文部相、法相、防衛庁長官などを歴任）とか、そういう方々が文教委員会の上座にいて、ピシャッとしめていらっしゃるところがありました。

ほかにも税調（税制調査会）には山中貞則さんという圧倒的に力を持った人がいて、山中さんはタカもハトもなく、ものすごい見識を持った方でした。最近はそういう政治家がまったくいなくなってしまいました。

青木　政治家の劣化は盛んに嘆かれ、さまざまな要因は指摘されていますが、河野さんはいったいなぜだとお考えですか。

河野　とにかく政治家の成熟度が非常に低いですよね。以前はもっと成熟していたんです。それはなぜかといえば、たとえば佐藤栄作さんとか中曽根康弘さんとか、私はあまり好きなタイプではありませんでしたが、こうした方々も後継者をきちんと育てていました。佐藤栄作さんが辞める時には「三角大福中」という後継者がいて、つまりは三木武夫さん、田中角栄さん、大平正芳さん、中曽根康弘さん、福田赳夫さんですが、このうち誰でも首相が務まるだろうという人を5人も育てていた。中曽根さんの時にも「安竹宮」と称された安倍晋太郎さん、竹下登さん、宮澤喜一さんがいた。ところが最近は小泉純一郎さんが（首相を）4、5年やりましたが、キチンと後継者は育てませんでしたよね。

青木　あえていえば安倍晋三氏ですか。

河野　安倍晋三さんと福田康夫さんの2人、要は清和会（清和政策研究会。故・福田赳夫が創設し、小泉純一郎や安倍晋三もこれに連なる）の仲間を官房長官にしただけです。安倍晋三さんも少し気の毒なところがあって、官房長官以外、閣僚をまったくやらないまま総理になってしまいました。

安倍晋太郎さんが政権をとっていたら違っていた

青木　それからもうひとつ、これは河野さんにきちんとうかがっておかねばなりませんが、政治家の劣化については、やはり中選挙区制から小選挙区比例代表並立制に変更したことの弊害もしばしば指摘されますね。

河野　ええ、私も基本的に失敗だったと思いますし、その片棒を担いだことについて責任を非常に感じています。

　ただ私は、小選挙区制だってうまくやれば、これほどひどい状況にはならないとも思うんです。外国でも小選挙区制を採っている国はいくつもありますが、そういう国がすべてこうなっているかというと、決してそうでもなく、もう少し健全にやっている国もある。

　では、どこに問題があるかといえば、たとえば候補者の選択です。これは権力者が恣意的に決めてしまいがちですが、イギリスなどがどうやっているかというと、候補者はそれぞれの地区で選んで、それを本部でプールして、良い候補者を選んでいく方式です。

日本でも表向きは公募などと言っていますが、実際は形式に過ぎず、かなり恣意的に決められてしまっています。すると有権者はまったく選択の余地がなく、その候補に入れる以外は他の党に入れるしかなくなってしまう。そうした状況の下、権力者が自分の好きな人とか、話の合う人しか選ばないから、党の傾斜がどんどん強くなってしまう。

青木　少し別の視点からみると、現在の政治の劣化は、日本社会の現状の映し鏡という一面もありませんか。先ほど河野さんもご指摘されたように、90年代の宮澤政権が大きな分水嶺だったとするなら、ちょうど同じ時期にバブルが崩壊し、日本経済は右肩あがりの時代が終焉を迎えました。

以後、これは政策の誤りも大きかったわけですが、少子高齢化に歯止めはかからず、格差や貧困が広がり、社会保障システムの持続性などなどへの不安は誰もが抱いています。一方で国際情勢を眺めれば、中国が脅威的な成長を遂げ、ＧＤＰ（国内総生産）規模では日本を抜き去りました。

そうして自信や余裕が失われ、不安や焦燥が蔓延しているからこそ、劣化した政治家やメディアが薄っぺらなナショナリズムや不寛容を煽り、多くの人がそれに煽られ、もてはやしてしまっている。これは日本だけでなく、アメリカやヨーロッパでも起きている現象なわけですが。

河野　それもあるでしょう。ただ、私は運、不運という面もかなりあったと思うんです。たとえば安倍晋太郎さんが若くして病気で亡くなってしまった。もし安倍晋太郎さんが元気でおられれば、おそらくは安倍晋太郎政権になっていたでしょう。

　そうなっていれば、その政権は現在のような右寄り政権ではなく、もっとバランスのいい政権になったはずです。もし安倍晋太郎さんが政権をとり、自民党を率いていれば、若手タカ派の質ももう少し違ったものになったと思うんです。

青木　安倍晋太郎という政治家は、河野さんのご覧になるところ、どういう政治家でしたか。私は数年前、安倍家の系譜を辿る取材をして一冊のルポ（『安倍三代』朝日文庫）を書きましたが、バランス感覚のある政治家だったという証言をあちこちで耳にしました。

河野　とても育ちが良くて、礼儀正しくて、わりと無色透明の方でしたよね。あのころの政治家、竹下登さんや宮澤喜一さんもそうですが、3人とも自分の主義主張にこだわるとか、なんとしても一方の方向に持っていこうとはせず、全体のバランスを見ながら政治を進めようという方々でした。

青木　安倍晋太郎もそうだったと。

河野　その代表格でしたよ、安倍晋太郎さんは。ところが早くに亡くなり、清和会では後継者争いが起きました。もともと清和会はナショナリズムの強い面がありましたから、そういう争いなどのなかから右寄りの勢力が一気に出てきて、森喜朗さん、そして安倍晋三さんにつながっていったわけです。安倍晋三さんはもちろん、小泉さんもかなり〝右寄り〟の人でしたからね。

青木　だからこそ、安倍晋太郎のようにバランス感覚のある政治家が早逝せず、総理総裁になっていれば……。

河野　だいぶ違ったでしょう。清和会も違っただろうし、自民党も違ったと思います。小泉政権で右に行き、安倍政権でさらに右へ行ってしまった。しかも小選挙区制になって、いわゆる小泉チルドレンとか安倍チルドレンなどと称される、かなり恣意的に選んだ候補者が何十人という単位で当選してしまいました。だから「魔の何回生」などという問題も起きるし、安倍晋三さんが右を向けば全員が右を向いてしまう。

野党にも配慮する国会運営を

青木　ただ、幾人かの官僚から似たような話を聞いたことがあるんですが、小泉政権と安倍政権には大きな違いもあって、小泉政権の時代にも最終的にはすべて官邸が決めていたけれど、それまでの段階では現場の官僚もかなり率直に意見が言えたと。

　ところが安倍政権は違うというんですね。すべてを官邸が決め、それに異を唱えるような官僚は疎んじられ、時には徹底的に排除されてしまう。だから忖度と呼ばれるような数々の不祥事が噴き出してしまったんだと。

河野　そうでしょうね。小泉さんも特異な人でしたけれど、それまでの自民党の雰囲気は残っていましたから。たとえば小泉首相の時代までは、なにか大きな問題があると自民党の歴代総裁を官邸に呼んで話を聞くというようなことがありました。２００３年にブッシュ政権がイラク戦争に踏み切った際も、これにどう対応するのかについて総裁経験者が官邸に呼ばれました。中曽根、宮澤、橋本（龍太郎）、森、そして私が呼ばれ、イラク戦争を日本が支持すべきかどうか、あるいは何らかの協力をすべきかどうか尋ねられ、宮澤さんや私はかなり率直に意見を申しあげました。

もっと以前の記憶だと、私が一番印象に残っているのは福田赳夫政権です。福田内閣のころは予算編成にあたって野党の党首も全員、官邸に呼んで、「各党のご希望はありますか、ご意見はありますか」と聞いていたんですよ。私も新自由クラブの代表として呼ばれましたから。

青木　共産党なども含めて？

河野　もちろんです。そういうことをむかしはきちんとやっていたんです。

青木　それは非常に重要なことですね。選挙を経て多数を制した与党が政権を担うのは当然にしても、それぞれ国民の支持を受けて議席を占めている野党にもきちんと配慮する。別の見方をすれば、国権の最高機関たる国会に対しては、行政府の長として、与野党を問わずに礼節を尽くすということでもあるでしょう。

河野　そうです。もちろん、各党の意見を聞いたからと言って、それがすべて反映されるわけではないんですがね。

青木　しかし、それがある種の建前や形式にすぎないとしても、そういう礼儀や配慮は民主政治の手続きとして非常に大切でしょう。

河野　ええ、それがまさに民主主義です。自分たちだけで法律を成立させる力を持っていても、国会運営のうえでの配慮は欠かさない。野党を含め、みなさんの意見はきちんと聞く。手続きもきちんと踏む。

青木　ところが現在は行政府の長が国会答弁などでも口を極めて野党を罵《ののし》り、重要法案の採決では従来の国会の慣習や手続きもすっ飛ばして強行採決を繰り返す。むかしと真逆ですね。

河野　まるで違います。歴史が積み上げてきた慣習や手続き、礼節や配慮を軽視するのは本来、保守政治の対極にあるものです。

リスクを背負っている政治家の訴えは伝わる

青木　参院選の話に戻るのですが、先ほど河野さんが指摘されたように、数少ない注目すべきムーブメントといえば「れいわ新選組」を立ちあげた山本太郎氏の動きでした。どうごらんになっていましたか。

河野　選挙の期間中から、これは相当なものだなと思っていました。ネットの反応などを見ると、ただごとではないですよね。ところがそれをテレビや全国紙がほとんど取りあげませんでした。これがなぜなのか。単に気づいていなかったのか、何らかの意図があって取りあげなかったのか。

青木　もちろん、よほどのボンクラじゃなければ気づきます（笑）。

河野　そうでしょうね（笑）。

青木　端的に言えば、政党要件を満たしていない「諸派」の動きを大々的に伝えると、他の政党などから「不公平だ」と言われかねないことを恐れたんでしょう。特にテレビはそうでした。情けない話ですが、メディアの自粛というか萎縮現象のひとつであり、メディアもやはり劣化しているのだと思います。

河野　しかし、テレビなり全国紙なりがもう少しきちんと報道していれば、山本太郎さんまでは通ったでしょう。３人目まで通るか通らないかは、だいぶ大きな違いです。

青木　山本太郎氏の演説はごらんになりましたか。

河野　テレビなどで端々は見ました。やっぱり耳に届きますよね。それはもう自民党の候補や立憲民主党の枝野幸男さんたちとはちょっと違いました。

青木　僕も現場で見てきたんですが、単純な物言いをすれば、熱量があるというのか、少なくとも本気なんだというのはひしひしと伝わってきました。

河野　そうです。本当に肌身を晒しているというか、己の身を切っているというか。たとえば枝野さんは前回の衆院選（２０１７年10月22日に投開票）で小池百合子さんたちに排除され、相当の犠牲を払ったうえで立憲民主党を立ち上げ、リベラルの旗を守るんだと背水の陣で選挙戦を戦った。それに多くの有権者は反応したんです。しかし、今回はまったくそうではありませんでした。これではダメです。

青木　今回は山本太郎氏の方がよほど必死だったと。

河野　そうですね。私はかつて新自由クラブを立ちあげた際、ブームを一度経験していて、あの時と状況はまったく違いますが、いくつか類似点はあります。

　何よりも私たちは自民党を飛び出し、寄らば大樹の陰ではありませんが、自民党でぐずぐずやっている連中とは違うんだと。たとえればゴムボートに乗って太平洋に乗り出したようなもので、もう生きるか死ぬかでやったのが有権者に届いたんですね。

青木　自民党を離党した河野さんを筆頭とする6議員が新自由クラブを結成したのは１９７６年6月。同じ年の12月に実施された衆院選挙では一挙に17議席も獲得しましたからね。

河野　だからやっぱりリスクを背負ってというか、リスクを懸けている政治家の訴えは伝わるんです。そうでないと、なかなか伝わらない。

〝官邸外交〟の度が強すぎる

青木　最後にもうひとつうかがいたいのですが、最近の日本外交をどうごらんになっていますか。これも政治の劣化ともちろん無縁ではないのでしょうが、非常に稚拙で場当たり的というか、感情に任せた乱暴な外交が目立つと僕は思うのですが。

河野　ひどい状況だと思います。私は、基本的に外交で大事なのはやはり近隣外交だと考えます。まずは何よりも近隣諸国との関係。安全保障の面においても、経済や文化の面においても、近隣の国とうまくつきあうのは最も重要なことです。国民間の交流にしても、近隣国同士が最もたくさん交流するわけですからね。それをないがしろにして「俯瞰外交」とか「１００カ国を訪問した」などというのは、私に言わせれば、重要度を無視したダメな外交です。

　それから、〝官邸外交〟の度が強すぎますね。外交というのは従来、外務省が情報を集め、外交政策を練りあげ、官邸が「よし、それで行こう」と言ってやるべきものでした。ところが最近は官邸が「日ロをやろう」「日朝をやろう」などと勝手に決め、その意向に合わせるつじつま合わせばかりです。外交当局者に裁量権がまったくないから、外相会談などを何度やっても進展しない。

青木　政治主導といえば聞こえはいいですが、ロシアとの北方領土交渉にしても、北朝鮮との首脳会談にしても、まさに官邸主導でメディアなどの期待値をさんざん煽った末、最終的にはなんの成果もないまま尻すぼみ。また、日韓関係は官邸主導外交によって史上最悪の隘路に陥ってしまいました。出口も落としどころもまったく見えない状況です。

河野　これが一番ひどい。私は官房長官の経験があるから申しあげるんですが、複数の役所にまたがっている問題は官房長官のところで調整します。特に貿易とか安全保障などがすべて絡んだ外交は官房長官が調整し、方針を出して、それに従って経産省も動き、外務省も動き、防衛省も動くという形でなければいけないのに、現在は経産省が主導して「ホワイト国」からの除外などがどんどん進められ、外務省はオタオタしているだけですね。

　しかも、事態を静観していれば尻を叩かれ、弱腰だとかなんとか非難されかねないから、乱暴な発言があちこちから飛び出し、事態をどんどん悪化させるような方向に突き進んでしまっている。戦線がまったく整理されていない。

　さらに問題なのは、自民党議員の意識です。現在の自民党を見ていると、もはや99%の議員がイケイケドンドンでしょう。これもひとむかし前だったら、せめて7対3ぐらいにはなっていたと思います。3割ぐらいは「おい、それでいいのか」「これじゃマズいんじゃないか」と言う議員が必ずいたんです。

青木　それがいなくなってしまった。

河野　いません。まったくいない。特に深刻なのは、やはり歴史認識の問題でしょう。いまや自民党のなかは「いつまでむかしのことを引きずっているんだ」という雰囲気一色です。いくら過去の歴史を真摯に考えるべきだと言っても、「お前はまだそんなことを言っているのか」と一蹴する雰囲気に覆われてしまっている。

しかし、いくら加害者が過去を忘れても、被害者は忘れませんよ。韓国などでは常に火種となってくすぶっている。こちらがそれを慮《おもんばか》っている限りは出てこなくとも、そうじゃなくなるとすぐに炎が立ちあがる火種はやはりあるんです。

それは70年経とうが、おそらくは１００年経ったって、この火種自体は無くならないでしょう。植民地支配をし、言葉を奪い、名前も変えさせ、朝鮮民族だというだけで蔑《さげす》んできたのは事実であって、それだけのことをしてしまったのです。だから、相互にどんな話をするにしても、仮に口で言わなかったとしても、われわれは過去に植民地支配し、ひどいことをしてしまった歴史があるんだということが頭のどこかにあれば、ものの言い方にしても、対応の仕方にしても、こんな外交には決してならないはずです。

青木　それにしても日韓関係が出口の見えない泥沼に陥り、ロシアとの交渉も日朝関係も「やってる感」だけは振りまいていても、なんの展望も見えてきません。

河野　そうですね。アメリカとだって、これはダメですよ。

青木　確かに首相はトランプ政権との蜜月を誇示していますが、現実には超高額の武器を次々と〝爆買い〟させられ、貿易交渉では農産物で相当な譲歩を強いられそうな雲行きです。世界の多くの人びとがトランプ大統領の言動に眉をひそめるなか、媚びへつらうような首脳外交は日本のイメージを相当損なっている面もあるでしょうし、地位協定の問題などではこちらから注文をつけることも一切ない。こうしてみると、外交を売りものにしているかのような現政権の外交は完全に四面楚歌です。中国との関係だけは唯一、小康状態を保っている感じですか。

河野　いや、実はこれが一番怖いかもしれません。

青木　どういうことですか。

日米安保体制をゼロベースで考える

河野　アメリカと中国の貿易紛争が継続し、長期化するなか、現在の中国は、とりあえず日本を仲間にしておきたいわけです。だから表面上はニコニコして手を出していますが、腹の底では安倍政権の姿勢を良いものとは思っていないでしょう。安倍政権だって中国のやりたいことは全部反対です。いわゆる一帯一路構想もそうですし、口を開けば中国包囲網ですし、南シナ海の問題などでも警戒感を隠そうともしない。

しかし、中国はそれを十分承知しつつ、戦略的に日本と接近しておかねばならないから、現在は我慢して腰を低くしている面があります。この環境がもし変わったら、中国のしっぺ返しはキツいですよ。だから決して安心はできない。かなり危ないなと私は見ているんですがね。

青木　明るい展望はありませんね。

河野　どんどん状況は悪くなっていますね。だから、どこかで局面を変える乾坤一擲が必要かもしれないと私は考えています。ちょっと突拍子もない話かもしれませんし、非現実的と言われると思いますが、たとえば核の傘を放棄してみる、というのはどうでしょうか。われわれは核の傘を脱いで裸になりますと宣言する。

青木　核の傘の放棄ですか。

河野　ええ。核の傘を一度脱いで裸になりますと宣言し、その代わり核の脅威には徹底して外交で対処する。アメリカに対して核の傘を出ますと宣言し、自分たちの姿勢を鮮明にしたうえで、現在は不参加になっている核兵器禁止条約にももちろん参加し、国際世論と一緒になって核保有国には核軍縮、核廃絶を積極的に求めていく。

青木　それは日米安保体制の見直しにもつながりますね。

河野　日米安保体制は重要ですが、一度ゼロベースでそのあり方を考え直してはどうかと思います。いま、日本が直接攻撃を受ける心配はあまりないでしょう。あるとすれば北朝鮮ですが、直ちに日本を攻撃するような理由はない。実際に日本は北朝鮮に対してきちんと戦後補償をやりましょうという立場なわけですから。

青木　日朝平壌宣言にも、国交正常化時には経済協力資金を支払うと明記されています。日本を攻撃すればそれが反故になるし、そもそも国が破滅してしまうでしょう。

河野　ええ。ロシアが核攻撃するとは思えないし、中国との関係も大きく改善される。

青木　確かに驚きの発想ですが、本来なら野党がそれくらいインパクトのある政策を掲げるべきかもしれませんね。戦前復古調の強い現政権に対し、戦後日本のありようをもっと前向きに大きく進めていこうじゃないかと。

河野　ええ、私が言いたいことは、そういうことです。先ほどの話に戻りますが、安倍政権は今回の参院選で勝っていません。いくら「勝った」と言っても、決して勝ってはいない。

2割に満たない得票率もそうですし、自民党単独では参院の過半数を割り込み、改憲を訴えても（改憲勢力が）3分の2に届かなかった。つまり憲法改正の発議権を失ったわけです。参議院は今後3年間、勢力分野は変わらず、安倍首相の任期はあと2年と少し。ある意味でゲームセットなんです。

したがって憲法問題は決着がついた。それでも別の勢力を取り込むとか、改憲条項を変えるとか言っても、これは民意に寄り添っているとは言えません。そうではなく、それでも多数を占めている勢力を背景とし、もっとやるべきことをやったらどうかと思うんです。たとえばエネルギー問題。原発に決着をつけるとか。

青木　ほかにも年金をはじめとする社会保障制度の再建も必須ですし、少子高齢化対策や財政再建、あるいは貧困や格差の是正など課題は山積みです。

河野　そうです。これだけの勢力を、「一強」と称される政治資産を、もっと真面目に使って欲しい。いまやらなくてはならないことがいっぱいあるでしょう。それをちゃんとやって欲しいと心から願っています。

（２０１９年８月７日）

河野洋平（こうの・ようへい）
１９３７年、神奈川県生。父は政治家河野一郎。59年早稲田大学卒業。67年自民党から衆院初当選。76年に離党、新自由クラブ結成。85年科学技術庁長官。86年自民党に復党。93年宮澤内閣官房長官。94年自由民主党総裁、95年副総理・外務大臣。２００３年から２００９年まで日本憲政史上最長の期間にわたり衆議院議長を務める。現在、日本と中国の経済関係を司る日本国際貿易促進協会の会長などを務める。外務大臣で衆議院議員の河野太郎は長男。

第7章

北丸雄二

性的少数者が「公的領域」に踏み出すとき

ここからはつづけて2人、私と同じく大手メディアにかつて所属した新聞記者出身のジャーナリストとの対話を紹介したい。いずれも現下日本のメディア界、ジャーナリズム界では刮目すべき仕事を手がけてきた先達だが、その活動範囲や記者としての個性は大きく異なっている。

まず北丸雄二は毎日新聞や東京新聞の記者を経て1990年代、東京新聞のニューヨーク支局長を務め、フリーランスに転じた。以後は長くニューヨークに暮らしながら活動し、その蓄積に基づく独自のアメリカ分析に定評がある一方、時に小説作品も手がける作家やコラムニストといった多様な顔を持つ。

だが、今回語り合ったのはそのいずれについてでもない。実は北丸は、自らがゲイであることを早くから公表し、近年は「LGBTQ+」などと総称される性的マイノリティー問題にも記者として、あるいは当事者として長く熱心に向き合ってきた。ニューヨークでの活動中も、日本のはるか先をいく米国のムーブメントをとりまくさまざまな動きに目を凝らし、日本に伝えてもきた。

そうした活動などもあってLGBTQ+などと総称される性的マイノリティーの存在は、まだまだ権利保護などは決して十分ではないものの、その問題点などを含めて日本でもかなり認知されるようになってきた。この変化に北丸が果たした役割は大きい。

正直に打ち明ければ、私は性的マイノリティー問題にまったく不案内で、最近は疑問を抱くたびに北丸に教えを乞うてきた。本対談はその総まとめとでもいうべき一編であり、性的マイノリティーの実像からその権利保護がどうあるべきか、さらには性差をめぐる政治的、社会的、歴史的、あるいは哲学的なテーマまで幅広く話を訊いた。私と同様、性的マイノリティー問題に不案内ならば、本対談がこの問題への知見を広げる一助になるだろう。

青木　「LGBTQ+」などと総称される性的少数者の存在というか、さまざまな性的指向を持つ人びとへの社会的関心が、日本でも近年急速に高まった印象があります。
　世界的にみると、たとえば同性婚を認める国が次々と増えていますね。他方、日本ではそうしたムーブメントへの一種のバックラッシュなのか、同性愛には「生産性がない」などという論外の暴言が政治家から飛び出す始末ですが、性的少数者の存在を認めて権利を守り、少なくとも不当な差別を加えてはならない、という原則は一応、社会的な共通認識になりつつあるでしょう。しかしそれもごく最近、この十数年ほどの風潮ですね。北丸さんはどう受け止めていますか。

北丸　正直、私も少し驚いているほどです（笑）。

青木　そうなんですか（笑）。でも、明らかに北丸さんはそのムーブメントを牽引してきた1人です。だから率直な考えを伺いたいのですが、最初に正直な告白をしておけば、僕も少し前まで性的少数者の存在や人権について、それほどきちんとした認識を持てていませんでした。新宿2丁目やゴールデン街あたりのゲイバーにはむかしから出入りしていましたし、そうした店にゲイの友人や知人はたくさんいましたが、ごく普通に「オカマちゃん」と呼んだりもしていた。これはおそらく僕だけの話ではなくて、リベラル系週刊誌の『週刊金曜日』（金曜日）を舞台に「『オカマ』は差別か」なんていう論争が起きたこともありましたね。

北丸　何年前のことでしたかね、あれは。

性的少数者を取り巻く環境は大きく変わった

青木　調べてみると、雑誌『The Gay（ザ・ゲイ）』（T・I・Y出版）の編集長などを務めた故・東郷健氏を取りあげたルポが『週刊金曜日』に掲載されたのは２００１年6月。そのタイトルの「伝説のオカマ」という表現が抗議を受け、一部で論争を引き起こしたわけです。少なくとも現在のマスメディアで「オカマ」という表現を堂々と使うことはないでしょう。

つまり、この十数年ほどでゲイや性的少数者を取り巻く社会、メディア状況は大きく変わり、最近ではそれが「MeToo.」のムーブメントなどにもつながった。北丸さんはもともと僕と同じ新聞記者で、東京新聞のニューヨーク支局長なども務められました。ご自身がゲイであることをカムアウトしたのはいつのことだったんですか。

北丸　新聞記者時代も、社内で知っている人は知っていました。ただ、それが印刷物のような形で出て対外的に知られたのは、東京新聞を辞める際に週刊誌『ＡＥＲＡ』（朝日新聞出版）のインタビューを受けたのが最初でしょうか。

ニューヨークに駐在していたときから私は、本業である政治・社会の話題ばかりではなく、性的少数者にかかわる情報を発信していました。プロのジャーナリストではなかなかそういう人がいなくて、私は熱心に新聞で書いていたので、『ＡＥＲＡ』が写真つきで紹介してくれたんですね。公的な意味（のカミングアウト）ではそれが最初になると思います。

青木　東京新聞を辞めたのは何年ですか。

北丸　１９９６年です。それ以前にも、ゲイ文学の金字塔とも言われた『フロント・ランナー』の翻訳なども手掛けていました。アメリカで74年に発表され、ニューヨークタイムズのベストセラーリストに初めて載ったゲイ小説です。もともと私は小説も書いていましたから、この作品に惹かれて翻訳をはじめたのが１９８８年ぐらい。最終的には90年に翻訳版が第三書館から刊行されました。

　そのころに実は「第1次ゲイブーム」というようなムーブメントが起きたんですね。『ＣＲＥＡ』（文藝春秋）のような女性誌が特集を組んだり、柿沼瑛子さんという翻訳家がゲイ文学を紹介したり。現代アメリカを代表する作家エドマンド・ホワイトの作品などを翻訳したのも柿沼さん。それから「アカー（OCCUR）」という団体、正式には「動くゲイとレズビアンの会」という団体の活動や裁判が注目されたのもそのころです。

青木　裁判というと?

北丸　府中青年の家をめぐる裁判です。「アカー」が90年に自分たちのセミナーを都立の府中青年の家で開いたら、そこにいたほかの団体、たとえばキリスト教系の団体や少年サッカークラブの関係者に嫌がらせを受けた。キリスト教系の団体からは「ホモ」呼ばわりされ、部屋の前で「悔い改めよ」なんて言われたり、サッカークラブの連中からは風呂場で面白おかしくはやし立てられたり。

「アカー」からはじまった公的な動き

北丸　そこで「どうにかしてくれ」と府中青年の家に異議を申し立てたら、逆に「あなたたちが和を乱している」と言われ、以後の利用を拒否されてしまった。しかも東京都も「秩序を乱す恐れがある」などという理由で施設の使用不承認を決めたものだから、「アカー」の側が裁判に訴え、最終的に東京地裁でも東京高裁でも完全勝訴の結論が出たんです。

これは画期的な裁判でした。その過程では、同性愛者であることを明かしていたサンフランシスコの教育委員長などが証人に立ったりして話題にもなりました。エイズ（HIV感染症、後天性免疫不全症候群）が日本でも大きな社会問題になっていたのも同じころです。

私は当時から新聞やテレビの同僚記者たちに「これは旬の話題で、重要なテーマでもあるから一生懸命に書いた方がいい」と勧めたんですが、みんな「オカマちゃんの話でしょ」という感じでなかなか取り上げませんでした。特に男性記者がそういう話題を取り上げると、逆に自分がゲイだと思われちゃう、シンパだと思われちゃうというような雰囲気が当時は間違いなくありました。これに対して女性記者たちが早くからゲイの話題、エイズの問題を熱心に取り上げていましたね。これはやはりジェンダーの問題も背景にあったんでしょう。

青木　同じ抑圧される側、と括ってしまえば少し陳腐かもしれませんが、日本社会のなかで女性が置かれている状況と、ゲイなどの性的少数者が置かれている状況に、どこかシンクロするものがあったと。

北丸　ええ。性的少数者の運動にどこか共鳴する部分、共振する部分があったんでしょう。それがなにかといえば、どこまでも強固な男性中心社会です。その男性はやはり異性愛者の男性であり、しかも家父長制が長く根強くつづいてきた日本では、女性たちが社会進出する際も抵抗にさらされてきたわけですね。

　一方、ゲイだとかトランスジェンダーといった人びとも社会から排除されてきました。当時はゲイとトランスジェンダーがどう違うかもわからず、女装せざるを得ないトランスジェンダーを「女装」と蔑み、すべて一緒くたにして「オカマ」と呼んで、あくまでも「私的な空間」「私的な領域」に押し込められていた。まるで隠花植物のような扱いをされ、時代も時代だったから、当事者たちもそういうものだとあきらめていたわけです。

　だからゲイやトランスジェンダーに対して、やはり女性たちが共振したんでしょう。そうした面での公的な動きは、日本では「アカー」からはじまった。公的な場での「アカー」の訴えはエポックメイキングでした。私自身は１９９３年に特派員としてニューヨークへ行ってしまったので、その後の日本国内の状況は直接ウォッチできませんでしたが。

青木　確かに人権的な面や社会運動としての性的少数者問題というのは、日本国内ではなかなか大きな関心事にはならなかったとはいえ、ゲイやトランスジェンダーといった存在が作り出す文化的な側面では、日本は一種の〝先進国〟といえる面もあったのではないですか。いわゆる「オカマちゃん」のタレントや芸能人がテレビなどでは古くからたくさん活躍していましたし、新宿2丁目のような場所もかなり広く認知もされていました。

かつて僕は記者として韓国に長く駐在しましたが、当時は韓国人のゲイの友人が新宿2丁目に憧れていました。当時の韓国にはそんな街がありませんでしたから。そういう意味で言うと、ゲイという存在が日本ではかなり認知されていたとも言えるのではありませんか。

北丸　たしかにそうかもしれません。ただ、その認知というのがなにかといえば、先ほど申し上げたように、あくまでも「私的な領域」にあるものとしてです。つまり、「私」をはみ出さない限りでの認知。逆に「公的な領域」で物事を考えたり、議論したり、解決したりするのが、これは別にゲイやトランスジェンダーの問題に限った話ではありませんが、私たちの社会は苦手なんですね。

青木　というと?

「私的な領域」から「公的な領域」へ

北丸　たとえば、裁判で争うことにはなかなかならない。差別問題にせよ、ジェンダーやセクハラの問題だってそうですが、最近になってようやく裁判になることも増えて注目されるようになりましたが、以前は示談などでおさめようという傾向が顕著でした。示談というのが何かといえば、「私の領域」にもう一度押し返すことです。「まあまあ、そこはあんまり表沙汰にはしないで穏便に済ませようよ」と。そういう形での処理の仕方が、どちらかといえば私たちの社会はうまい。

　これはまさに青木さんが先ほど自戒されたように、「オレはオカマの友だちがいるよ」「2丁目だって行くし、別にいいじゃん」「ヤツらにもいいヤツはたくさんいるし」と。そういう形では認知し、一応は穏便に処理してきたけれど、それだけでは済まなくなってきている。「私的な領域」に押し込めるだけでは済まなくなって、「公的な領域」できちんと片をつけなくちゃいけない時代が、ようやくいまやってきていると思うんです。

青木　北丸さんがおっしゃる「私的な領域」に押し込めるだけでは済まなくなった理由というか、昨今の動きにつながる契機になったものはいったいなんだったんでしょう。

北丸　私はアメリカで当時の状況を見ていましたが、やはり80年代から急速に感染が拡大したエイズが大きかった。これで少なくともアメリカのゲイ・コミュニティーは気づいたんです。

　というのも、エイズ患者の治療に向けた研究費などを政府がなかなか出そうとしない。それによってどんどん人が死んでいく。同じタックスペイヤー、納税者にもかかわらず、ほとんど何のケアも受けられないし、社会保障も受けられない。愛するパートナーが死んでいくのにケアもなく、手当てもない。

いったいなぜそれほど不当な扱いを受けなければならないのか。アメリカの場合、背後には宗教的な理由なども横たわっていたわけですが、宗教という「公的な存在」に対しては、やはり裁判といった「公的な機能」を使って闘おうという意識が、振り返ってみるとアメリカは昔からかなり強かった。

それは環境問題などもそうだし、人権の問題でもそうです。古くは黒人の解放運動があり、女性の参政権運動なども欧米から起きた。

そういう意味ではさまざまな回路が全部つながっているとも言えます。だからこそ、エイズを機にゲイの人権問題が「公的な領域」へと踏み出し、そこで片をつけようという運動になったのは必然の流れでした。

青木　なるほど。エイズという生命に関わる問題が現在につながるゲイ当事者たちによる人権獲得運動の大きなきっかけになったわけですね。

北丸　そうです。だって、エイズ治療に効果的とされるカクテル療法などが作られるまで、本当にバタバタと人が死んでいったんですよ。私はアメリカでそういう状況を間近に見ていましたが、日本人だって決して例外ではありませんでした。

エイズをバネにした新しい運動

北丸　たとえば１９６０年代とか70年代には、日本でのゲイ差別を逃れてニューヨークに渡り、日本料理店などを営んでいた人たちがたくさんいました。そうしたなか、世界的に有名なヘアスタイリストだった須賀勇介さん（１９４２〜９０年）などもエイズで亡くなっています。本当に働き盛りの人びとがたくさん亡くなりました。

　働き盛りということは性的にも活動的な時期ですから、さまざまな分野で活躍している人びとがどんどん感染して死ぬんです。私たちは当時、ニューヨークで日本人相手の電話相談も開設しましたが、ニューヨークの日本人コミュニティーでもゲイであることを隠して生活している人たちが実はたくさんいて、電話相談がたくさん寄せられました。誰もが混乱し、苦悩していた。それが１９８０年代から90年代初めにかけてのことです。

　そこでアメリカ社会のゲイ・コミュニティーがどう対応したかというと、もはや陰に隠れていてはなんの闘いもできないんだと。とにかくカムアウトして、公の言葉で公に政府に訴え、裁判にも訴え、議会にも訴えていくしかないと。同時に直接的な行動を通じて闘うしかないと、そういう方向性が自ずから出てきたんです。

青木　エイズという感染症がゲイの人びとをそこまで追い込んだ。

北丸　逆に言えば、エイズをバネにした、と言えるかもしれません。それまでは個人的なことだと片づけられていたこと、つまりは「私的な領域」に属するものだと扱われていたことが、エイズという大義名分を得て、それが政治的な課題であり、公衆衛生の課題でもあり、さらには社会保障の課題でもあるんだと気づかされ、大きなムーブメントになって展開していった。ひいてはそれが治安や安全保障の問題にもつながるわけですからね。

青木　たしかにそうですね。北丸さんがおっしゃるように「私的な領域」に押し込められたままでは、病気の適切な治療が受けられないばかりか、感染の拡大を防ぐこともできず、さらには通常なら婚姻などによって得られる諸権利などからも除外されてしまっていることに気づかされる。ならば同性婚を認めさせようという訴えにも当然広がっていくでしょうし、それは決してゲイだけに限った話ではありませんね。

北丸　まさにそうです。だから90年代のアメリカでは、最初はハワイやマサチューセッツ州などで同性婚や同性パートナーシップを求める裁判が起こされ、それが全米各地にどんどんと広がっていきました。

青木　それが欧州をはじめとする世界各地に広がっていったと。

社会的な制約がなければもっと自由なのでは

青木　そういえば、この連載対談の初回に登場していただいたのが美輪明宏さんでした。

北丸　あ、そうなんですか。

青木　美輪明宏さんとの話は性的少数者の問題にとどまらず、現在の日本社会や政治、芸能など多岐にわたったのですが、いまも記憶に残っているのは、かつての日本は同性愛にもっとおおらかだったというお話です。古くは織田信長と森蘭丸の関係とか、江戸時代には陰間《かげま》茶屋《ちゃや》もあったし、同性愛を描いた小説や春画も数多く残されていると。

それはやはり「私的領域」に押し込められたものではあったのかもしれませんが、比較的おおらかだったのが明治期の家制度などによって押しつぶされてしまった面もあるのではないですか。それが欧米などではキリスト教に基づく宗教的な規範だったのかもしれませんが。

北丸　ええ。それこそ文明が発祥した時代にまでさかのぼれば、異性愛規範社会というのは基本的に「つくられたもの」とも言われるんです。

確かにそのテンデンシー（傾向）はあって、どの哺乳類にしても、特に鳥類には多いらしいですが、知能がある程度発達した動物は、生物学的に必ず同性愛的な行動をする。それは別に異常な行動ではなく、動物には「性のグラデーション」とか「スペクトラム」と呼ばれるものがあって、人間だって100％異性愛の人も、100％同性愛の人も、すごく少ないらしい。その間にさまざまなグラデーション、スペクトラムがある。

それでも異性愛を絶対視する社会ができているというのは、そういう規範を人間たちが作ったからでしょう。そのひとつが家制度かもしれないし、宗教かもしれない。あるいはメディアなどの影響によるものかもしれない。そういえば、青木さんが駐在された韓国って、男同士で手をつないで歩くでしょう。

青木　ええ、男同士はもちろん、女同士でも手を繋いだり、腕を組んだりしていました。

北丸　女同士というのはまた別の研究があって、女性には本質的に異性愛者がいないのではないか、とも言われるんですね。

　どういうことかといえば、男でも女でもどちらでもいい人と、女しかダメな人がいるだけなんだと。逆に異性である男じゃなければダメだ、という人がほとんどいないのが女性なのではないかと。本当のところは分かりませんが、家制度とか宗教といった社会的な制約がなければ、私たちは誰ももっと自由なのではないかと思います。

　これもある研究があって面白いんですが、アメリカのゲイポルノに登場する人びとが全員ゲイかっていうと、90年代ぐらいまではみんなゲイだったそうなんです。ストレート（異性愛者）の男性が入ってくるなんて信じられないことだった。

　ところが90年代の後半から、もちろんカネ目的もあるんでしょうが、ストレートの男性もゲイポルノに登場するようになった。そればかりか２０００年代に入ると、若い大学生などはそれに抵抗のない人びとが増えている、という研究結果もある。

　それから「ブロマンス」っていう言葉が最近よく使われます。

青木　「ブロマンス」？

ロック・ハドソンのショック

北丸　「ブラザー（brother）」と「ロマンス（romance）」を掛け合わせた造語で、性的な関係はないけれど、非常に親密な関係で結ばれた男同士のロマンスへのファンタジー。
　これに関連しては以前から「ホモソシアル」という考えがあって、特に日本は男性同士がつるむでしょう。妻を家にほったらかしておいて、会社の同僚同士で飲みにいって、時にはキャバクラやソープランドに行ったりして、女性を一種の通貨のように共有する。それで男同士の紐帯や絆が深まるんだと言って、時には肩を組んで歌い、しょっちゅう一緒に酒を飲む。でも、セックスはしない。
　同時にそのホモソシアルな世界というのは、ホモセクシャルに対する嫌悪や憎悪、いわゆるホモフォビア（同性愛嫌悪）がものすごく強い。ところが最近のホモソシアルは、ホモセクシャルに対する嫌悪、憎悪がどんどんと薄れてきている。それが「ブロマンス」だというんですね。

青木　なるほど。

北丸　そういう「ブロマンス」ではなくとも、韓国では男同士が手をつないでいた。ほかにもロシアでは男同士が気軽にキスをしていた。「社会主義のキスだ」などと言って、ブレジネフ

（ソ連共産党元書記長）とホーネッカー（東ドイツ国家評議会元議長）がキスをしたりしていたんです。かつて、ソ連代表の美丈夫な体操選手たちが競技の終了後、みんなで抱き合って口と口でキスをしているのに私は驚いたことがあります。

　ところが、モスクワ五輪の際にそれが消える。なぜかといえば、五輪は世界的にテレビ中継され、これは変じゃないかという眼が加えられる。それまで普通にやっていたのに、突然、性的なニュアンスを帯びてしまう。韓国でもソウル五輪の際に男同士の手つなぎが急速になくなったと聞いたことがあります。だから当時はやはり、ホモセクシャルに対する風当たりが世界的に強かったんですね。

青木　ところが80年代末から90年代にかけて、特にエイズという感染症の流行とともに、これはきちんとした人権問題として取り組まないと大変なことになるという動きがアメリカなどを中心に強まっていったと。

北丸　そうです。最初のショックは85年に亡くなったロック・ハドソンでしょう。ロック・ハドソンと言えば、いわばアメリカにおける理想的な男性像ですよ。背は高くて、ハンサムで、声も良くて。それこそラブロマンス映画の堂々たる主役で、そんなロック・ハドソンがエイズに罹患して死んでしまった。直前にはガリガリに痩せた姿をさらされ、アメリカ社会に強烈な衝撃を与えました。

みんなが声を上げはじめた

北丸　ロック・ハドソンのような「男らしい男」がゲイで、しかもエイズで死んだ。だったら自分たちの周りのどんな男がゲイでもおかしくない。いままで自分たちはゲイの人びとをゲイではないと見過ごしてきただけで、実はひどいことをしてきたのではないかという事実に、アメリカの多くの人びとはようやく気づくんです。特に女性たちがね。そういう層が生まれてきたのは、やはりロック・ハドソンの死がきっかけでしょう。その後にはマジック・ジョンソンなどの感染も次々に明らかとなりました。

青木　アメリカでは大人気スポーツのプロバスケットボール界で、ジョンソンは屈指のスター選手でした。そのジョンソンの感染が判明したのは１９９１年でしたか。

北丸　ええ。イギリスではクイーンのフレディ・マーキュリーも91年に亡くなり、さらにはライアン・ホワイトという少年の死も衝撃的でした。この少年は血友病患者で、輸血によってエイズに感染し、最後は亡くなってしまった。その過程では、エイズに対する偏見で彼は学校から排除され、法廷闘争がメディアに大きく報道され、エルトン・ジョンやマイケル・ジャクソンなどが熱心に支援した。ゲイ、人気歌手やスポーツ選手、そして子ども、これらの死や感染がセットになってアメリカ社会を揺さぶった。

しかもアメリカ文化を支えるブロードウェイでは、優秀な俳優や脚本家、プロデューサーがたくさん亡くなりましたから、一時は「新作が作れないんじゃないか」というような状況にもなりました。だからジャーナリズムに加えて映画、演劇、あらゆるエンターテインメント界がこの問題に取り組んだ。エイズとゲイにまつわる偏見への抵抗を描いた映画「フィラデルフィア」（93年）ではトム・ハンクスがオスカー（アカデミー賞）を獲りましたが、それ以外にも数限りない映画、テレビ、演劇、文学がゲイやレズビアンをテーマにした作品を生み出しました。

つまり、同性愛の問題を社会のなかで「私的な領域」にとどめず、みんながそろって声を上げはじめたんですね。だからムーブメントは大きな広がりを見せ、アメリカ社会を変えていった。たとえば野球のメジャーリーグは「ゲイ・デー」を作りました。ゲイの観客、ウエルカム。この日はみなさん、恋人と一緒にきてくださいと。ディズニーランドだって、これはディズニーランドの主催ではないけれど、やはり「ゲイ・デー」ができて、みんなが赤いシャツを着てカップルで行きましょうというキャンペーンが行われた。この「私」から「公」に向かっていくアメリカの大衆文化のエネルギーというのは、それはやはりすごいバックボーン、背骨があるんだと痛感させられました。

青木　それ以前のアメリカ社会にもやはり、たとえば日本の「オカマ」などと似たような、ゲイに対する侮蔑や偏見のこもった呼び名などもあったんですか。

ストーンウォールの反乱

北丸　ええ。そもそも「ゲイ」なんていう言葉自体が比較的新しいものですからね。「ホモセクシャル」という言葉は19世紀の半ばぐらいに作られましたが、ほかにもいろいろな隠語がありました。それこそ「ケツの穴に突っ込むヤツ」といったような。かつてはアメリカでもそうして「私的な領域」に閉じ込められ、抑圧され、みんなうなだれて反抗しなかった。それでも歴史的にはいくつかの抵抗運動も起きてはいて、抑圧に対する「公」の形での抵抗を最初に起こしたのは、69年のいわゆる「ストーンウォールの反乱」です。

　これは「ストーンウォール・イン」というニューヨークのゲイバーに警察が踏み込んだことがきっかけになりました。当時はまだ同性間の性交渉を禁ずるソドミー法が残っていた時代で、アメリカも禁酒法とかマッカーシズム（赤狩り）とか、とても極端に走る時代があって、まだマッカーシズムの名残もあったのでゲイに対する抑圧もすごかった。それこそビーチに男同士で座っていただけで逮捕されたり、そういう時代だったため、ゲイバーもマフィアなどが運営していたわけです。

　そこに警察が定期的に踏み込んできて、バーの側も袖の下、つまり賄賂を渡し、「今日のところは大目に見てやる」なんていうことを繰り返していた。それに反旗を翻したのが「ストーンウォールの反乱」。店に居合わせた客たちが抗議をはじめ、暴動にまで発展しました。背景には黒人解放運動やフェミニズムの運動を目の当たりにしていたことなどもあったんでしょう。それが「ストーンウォールの反乱」で爆発し、理論武装したゲイたちが解放運動に取り組むようにもなっていきました。

青木　そうした歴史も基盤にあり、80年代のエイズ拡大を機に大きな社会運動に広がったと。そして現在ですが、「LGBT」とか「LGBTQ＋」という言葉がごく普通に使われるようになりましたが、この言葉が使われはじめたのはいつごろからのことですか。

北丸　これはもう1990年代の後半からですよ。本当にこの20年ぐらいのこと。当たり前の話ですが、性的指向にはさまざまなものがある。それぞれにいろいろと違いがある。ゲイやレズビアンもいれば、トランスジェンダーはまったく違う問題を抱えている。トランスジェンダーというのは、性的指向の問題というより、その人の性的なアイデンティティの問題です。そもそもジェンダーを飛び越えてしまっているわけで、問題がまったく別ではあるんだけれど、しかし社会運動として連帯しようという時に使われるようになったのが「LGBTQ＋」。

つまりレズビアンの「L」、ゲイの「G」、バイセクシャルの「B」、トランスジェンダーの「T」、そして、まだ自分のセクシャリティがわからないクエスチョニングの「Q」や、それらを超越したクイアの「Q」。ほかにもいろいろな形があって、だから最近の日本でしばしば「LGBT問題」などと大雑把に括り、それればかりか性的少数者を指す言葉だと思い込んで

「あなたはLGBTですよね」なんていうのは非常におかしな話なんです。だってそれは「あなたは老若男女ですよね」なんて言うようなもので（笑）。

青木　たしかにそうですね（笑）。

北丸　そう。「L」と「G」と「B」と「T」はすべて違うんですから。

回路がつながっていなかった

青木　しかし日本では、意図的なのか単に無知なのか、いまだに「性的指向」と「性的嗜好」をごっちゃにする言説までがまかり通っています。アメリカなどではエイズをきっかけとして同性愛を「公的な問題」として考える動きが一気に広がったのに対し、日本ではあまりそういう印象がありませんね。最近はようやく関心が高まったものの、10年ぐらいは遅れているような印象ですが、北丸さんがおっしゃる「私的領域」にまだまだ押し込められている部分が多いですか。

北丸　そうだと思います。これについてはジャーナリズムやメディアの問題が大きい。たとえば70年代の初頭、アメリカではすでに「ストーンウォールの反乱」などは起きていたけれど、まだまだゲイが非常に抑圧されていた時代、テレビで真正面からゲイの話題を取りあげたのがウォルター・クロンカイト（1916〜2009年）でした。

青木　米3大ネットワークのひとつＣＢＳでニュース番組のアンカーを長く務め、「アメリカで最も信頼できる人物」とも称された伝説的ジャーナリストですね。

北丸　そのクロンカイトが70年代から「これは大きな問題になる」「社会問題、社会運動につながる」といち早く指摘し、それにつられるようにジャーナリズムや映画界などが関心を持つようになっていました。

　ところが日本のジャーナリズムやメディアはなかなかそういう回路が通じない。だって、90年代になってからもニッポン放送が『野茂とホモの見分け方』（ニッポン放送プロジェクト）なんていう本を出す始末なんですから（苦笑）。

青木　そんな本があったんですか？

北丸　ええ。ニッポン放送のラジオ番組から生まれた本で、野茂はお尻をバッターに向けて球を投げるけど、ホモはお尻を向けて男を誘うとか、そんな馬鹿げた本（苦笑）。これについてはあまりにひどいので、抗議を受けて回収したんじゃなかったでしょうか。ただ、つい最近までそれが大して問題視されず、逆に大笑いされていたのは紛れもない現実でした。とんねるずの「保毛尾田保毛男《ほもおだほもお》」もそうです。

青木　これは２０１７年にフジテレビが放送して大問題となり、最終的には謝罪に追い込まれましたね。もともとは１９８０年代から90年代にかけてフジテレビのバラエティ番組で放送され、ステレオタイプな「ホモ」「オカマ」に扮した姿が一種の〝人気キャラ〟になっていましたが、現在の視点でみるとどう考えても問題だと僕も感じます。

　逆にいえば、それほどゲイや性的少数者に対する人権意識が高まってきたと捉えることもできますが、90年ごろはあのキャラが大っぴらに許されていた。これも正直に言えば、学生だった僕も当時、深く考えもせずに番組を観て笑っていた記憶があります。


北丸　そうだと思います。当時は問題にもされませんでした。むしろ、「みんなでホモをからかって楽しく笑ってるのに、ムキになることなんかないじゃないか」っていう雰囲気で。

　実をいえば、ゲイの人たちもそうだったんです。それがおかしいことなんだと気づく回路がつながっていなければ、誰もがおかしいことだとは気づかない。逆に、それを楽しいと思わないと疑われてしまう。疑われてしまうから、引きつった笑いを浮かべながら、みんなに合わせて笑っていた。そんなかわいそうな「ホモの子」が、おそらくはたくさんいたんだと思うんです。そういうことについて私たちの社会は気づいていなかった。目に入っていなかった。

　それはなぜかといえば、やはり回路がつながっていなかったからです。しかし、最近はようやく回路がつながりはじめた。最近の日本国内の動きで大きかったのは、やはり渋谷区の同性パートナーシップ制度ですよ。

青木　東京都渋谷区は２０１５年3月に制定した条例によって、同性カップルに区が「パートナー」であることを示す証明書を発行するようになりました。行政としては全国初の取り組みとして注目を集めましたね。

違和感を覚えることも……

北丸　法的にはほとんど意味はないんですが、それでもパートナーシップを認め、ジャーナリズムも「公の領域」で取りあげた。これです。確かにこれで大きく変わった。続いて札幌市や世田谷区などでも同様の要綱がつくられましたが、とはいえ本当の意味では法的に何も変わっていない。

青木　そこについていえば性的少数者の人権問題にとどまる話ではありませんね。カビ臭い家制度や家父長制に固執する現政権や与党の抵抗に阻まれ、別姓を選びたい者たちが別姓にするだけの選択的夫婦別姓制度すらいまだに実現していないわけですから。

北丸　そのとおりです。まったく同じことであって、それこそがまさに「回路がつながる」ということ。アメリカなどでは黒人解放運動から女性解放運動に広がり、ＬＧＢＴの解放運動などもそれらと地続きなんです。最近では米民主党の大統領候補者選びに名乗りを上げていたピート・ブティジェッジ（インディアナ州の市長を務め、バイデン政権では運輸長官に就任）が「黒人たちの気持ちもわかる」とかなんとか言って、「お前になにがわかるんだ」と叩かれていましたけど（笑）。

青木　ブティジェッジはゲイであることを公言していましたからね。

北丸　ええ。でも、そうは言っても根っこは同じ。こういう問題にひとつ気づいたとき、まさにさまざまな回路がつながって、すべての問題が地続きに連なっていく。夫妻別姓の話も、障がい者をめぐる問題も同じです。

たとえば70年代に川崎で行動を起こした「青い芝の会」のバス闘争。脳性麻痺を患った障がい者の方々が川崎のバスターミナルに押しかけて「俺たちも乗せろ」と実力行使を繰り広げた。当時の様子は映像でも残されていて、YouTubeでも観ることができます。それを観ると、「分をわきまえろ」などと罵声を浴びせられているんです。

いまでこそ車いすの人もバスに乗れるし、乗せなくちゃいけない。ところが当時は、なぜそんな実力行使をするのかと、おそらくは大半の人が感じたんじゃないでしょうか。しかし、あの実力行使によって障がい者に障害があるのではなく、バスという公共機関の側に、つまり社会の側に障害があるのだということを気づかせる契機となった。そこに社会全体が気づくのに何十年もかかった。

ただ、そうやってひとつのことに気づくと、トントンと進んでいく面もある。あとはローメイカーたち、すなわち国会議員たちがどのように法律や制度を整えていくか。

青木　そうしたさまざまな社会的運動が土台となって回路がつながり、さまざまな抑圧問題の大きなひとつとして性的少数者に対する認知もこの十数年でかなり広がったと。

北丸　そうです。とはいえ、びっくりするほどの変化ですけどね（笑）。

青木　やっぱり、びっくりですか。

北丸　びっくりですよ。だって、本当に孤軍奮闘だったんですから。歴史的にさまざまな社会運動というのはそういう面はあるのでしょうが、逆に極端なものだけが取りあげられて違和感を覚えることもしばしばあって。

青木　というと？

北丸　たとえば、ゲイの人たちっていうのは自分たちと違って障がいを抱えているからこそ純粋なんだ、あるいはゲイには才能のある人が多いんだとか（笑）。

でも、そんなことあるわけがない。ゲイにもバカはいるし、どうしようもないヤツもいるし、何にもできないヤツもいる。それはごく当たり前のことであって、実はいろんな連中がいて、でも、何もできなくたっていいんだ、という社会じゃないとダメなわけじゃないですか。

そういう気づきの過程っていうのが面白いということを私は言いたいんです。知的にもスリリングですし、私たちが生きている社会が変わっていくことを、しかも私たちの望む方向に変わっていくのを目の当たりにし、それを楽しんでほしいとも思うんですよね。まだまだ不十分な変化ではありますが。

なかなか声をあげられない社会の仕組み

青木　先ほど北丸さんは、日本でそういう変化が遅れた原因として、ジャーナリズムやメディアの問題を指摘されましたね。いったいなぜ日本のジャーナリズムは反応が鈍かったのか。北丸さんがいらっしゃった東京新聞をはじめとし、当事者であるゲイの人たちだってメディア内にいるわけでしょう。

北丸　たくさんいます。私はほぼすべての大手メディアにゲイの知人がいます。ただ、レズビアンの人たちは結構勇気があって、いろいろなところでカムアウトしていますが、ゲイの人たちは隠れている。それでもＮＨＫをはじめとするテレビ界にはたくさんいるし、メディア各社にたくさんいますよ。

青木　それがなぜ声をあげたり、報道という形などで反映されたりしないのでしょうか。

北丸　それは別にメディアだけ、ジャーナリズムの世界だけに限らないでしょう。「ストーンウォールの反乱」でも、一番強く声をあげたのは、実を言うと一番虐げられていたレズビアンとトランスジェンダーなんです。逆に男らしくて白人で、黙っていればゲイとはわからないような連中はあまり騒がなかった。堪忍袋の緒が切れるというか、むしろ切羽詰まった人たちの怒りが爆発した。

　その際、暴動の様子を見ていたアイビーリーグ（米国東部にある名門私立大学8校の総称）出身のある裕福なゲイが「なぜこんなことをするんだ」「オレたちには自分たちのレストランもあるし、バーもあるし、ビーチもある」「そこでうまく生きてきたのに、あの女どもがぶち壊しやがった」と詰るんです。
つまり、男であるということは公的な部分での〝うま味〟もあって、私的な部分として自分でうまく処理できる。これでは社会変革につながりません。

青木 先ほどから北丸さんがおっしゃっている「私的な領域」に閉じこもっていれば、それなりにやりすごせるということですか。誤解をおそれずに言えば、「性的指向」ではなくまさに「性的嗜好」かのように自己制御しておけば、あとは男であることで社会的に有利な部分だけを享受して生きられると。

北丸 そうです。だからなかなか声をあげない。さみしくなったら2丁目に行って男を漁ればいい。自分たちには自分たちのバーもあるし、レストランもあるし、発展場もある。何の不自由があるんだというわけです。

これは異性愛者の男だってそうでしょう。新宿や渋谷の盛り場に行けば、恋人や妻に内緒でいろいろなことができてしまう。趣味や娯楽としてＳＭバーに行けるし、かつては接待でノーパンしゃぶしゃぶに通っていた大蔵官僚もいた。権力を持っていれば、下手をすれば痴漢しても捕まらない。それこそ趣味、娯楽としてさまざまなことができる。

そういうことと地続きだと考えれば、異性愛者の男だって同じでしょう。そしてその社会的状況はジャーナリズムの世界にも共通している。たまたまジャーナリズムの仕事をしているだけであって、土台の部分は男ですから、そこまで切羽詰まって気づかなくてもやりすごせてしまう。と同時に「私的な領域」ではなく「公の領域」で声をあげるのは往々にして疎んじられる。「こいつ、面倒くさいこと言ってるな」と思われてしまう。だからいつまで経ってもデモにも行かない。裁判にも訴えない。「公の領域」で声を発しない。

青木　その点、アメリカの方がマシだと。

北丸　ぜんぜんマシです。大統領がダメだったら裁判に訴える。議会に訴えてもダメなら、直接民主主義だといって行動をとる。

『あん』に思うこと

北丸　逆に日本に帰ってきて痛感するのは、そうした回路がないというか、あることはあるのに使わない。使うと疎まれ、嫌われ、うるさいヤツだと思われてしまう社会の現実です。それに関連して思い出したのですが、『あん』という映画を観ましたか。樹木希林さんの最後の主演作になった……。

青木　ハンセン病がテーマの作品ですね。

北丸　そう。どら焼き屋を営んでいる男性を永瀬正敏が演じていて、あんこが難しくてなかなか美味しくできずに悩んでいる。そこにやってきた樹木希林が「私、あんこ作れるわよ」と言ってつくる。それが抜群に美味くて、つくり方を永瀬演じる男性は習おうとするんだけど、そのときに樹木希林の変形した指が少しだけ映るんです。これがハンセン病であることの伏線なんですね。

その樹木希林演じるおばあちゃんはいつもどこかへ帰るんだけど、それがハンセン病の療養所。間もなく噂は広がって、どら焼き屋に客が寄りつかなくなる。ものすごく人気の店になっていたのに、噂が流れたのを境に誰も寄りつかなくなってしまう。それでも永瀬演じる男性ともう1人、お客さんだった中学生の女の子がいて、この2人が樹木希林演じるおばあちゃんにものすごい善意で接し、その善意によっておばあちゃんの悲劇を回収する、そういうストーリーです。

映画としてはとても静かで美しい佳作なのですが、しかしこれは個人が、つまり永瀬演じる男性と中学生の女の子の2人の個人の善意、つまり「私」の善意や優しさによってハンセン病に対する悪意や偏見、差別を回収し、しみじみと「いい映画だったね」というだけの話で終わってしまう。これでは社会を変えないんです。個人的な領域でのつきあい方は変えるし、ひょっとしたらそれが町内には広がるかもしれないけど、しょせんは「私的な領域」における「個の回収」にすぎず、社会的な処理の仕方ではない。

青木　もっと根本的な問題であるハンセン病への根拠なき偏見であるとか、誤った認識であるとか、それらに基づく隔離政策や差別問題であるとか、そうしたものを変える社会的な力にはつながらないと。

北丸　そう。あくまでも「個人的な善意」の範囲から外に出ていない。

同じようなことが、いま公開されている映画『his』にも言えます。主演しているのはTHE BOOMというバンドのボーカル・宮沢和史の息子の宮沢氷魚。ものすごく存在感と透明感のある俳優だと感じましたが。

青木　で、どんなストーリーなんですか。

北丸　ざっくり言うと、主人公の宮沢演じる男性がゲイで、もう1人の男の子と交際しているんです。ところがいろいろな事情があって別れ、何年か経った後、再び出会って小さな村で暮らし始める。でも、さまざまな噂が村中に立って、誰もが避けるような雰囲気に耐えられず、2人は村人に告白する。「僕たちはゲイです」「つきあっています」と。

そこに集まっているのは、もちろんみんな老人です。その老人たちが「こんな歳になったら男も女もねえわなぁ」というふうに言ってくれる。「そんなことはどうでもいい、好きにやれ、オレたちは別に構わんから」と。主人公の2人は感涙にむせんで、ありがとうという感じになって、物語は結局そうやって「個人の善意」で回収されてしまう。こちらもとてもいい映画なのですが「私の領域」にとどまり、社会全体ではどうなのかということにはつながらない。

一方、アメリカではたとえば『ロー・アンド・オーダー（LAW & ORDER）』という有名な犯罪捜査ドラマがありましてね。

最後は社会システムの問題

青木　僕は観たことがありませんが、調べてみると１９９０年から２０１０年まで米ＮＢＣテレビで放送され、各国でもリメイクされた人気ドラマだったようですね。

北丸　そうです。そのなかの一話に、あるレイプ事件をめぐるストーリーがありました。女性が複数の軍人にレイプされ、暴行され、瀕死の重傷を負ってしまう。捜査員は必死に捜査するんだけど、閉鎖的な軍隊からはなかなか証言者が現れない。ただ、事件に関わった軍人に１人のキーパーソンがいて、彼は黒人なんですが、実はトランスジェンダーでもあった。レイプの現場にはいて、レイプに加わったふりはしたけれど、レイプなんてできなかった。だって、彼は肉体的には女性なんですから。

そして事件を立件するためには彼の証言がどうしても必要になってくるんだけど、公判の場で証言すればトランスジェンダーであることも明かさざるを得ず、軍隊のなかで居場所をなくしてしまいかねない。果たしてそれが正義にかなうのかというふうにドラマのストーリーは展開していって、最終的に彼は決意し、裁判で自分のことを明かした上で事件の全容も証言した。

その公判廷が終わり、自分が今後どうなるかわからないまま退廷しようとした瞬間、傍聴席にいた仲間の軍人たちが一斉に立ち上がって、彼に向かって敬礼するんです。驚いた様子の彼もまた敬礼で返す。これは本当に感動的なシーンでした。なぜかといえば、軍隊において敬礼というのは、「公の領域」の言葉なんですね。

青木　なるほど、互いに軍人同士であることを認め、軍人としてのメッセージを「公の場」で「公の態度」としてきちんと伝えたと。

北丸　そう。個人の善意で物語を回収してしまうのではなく、あくまでも「公の領域」できちんと回収しようという姿勢が、アメリカの映画やドラマの中には含まれている。そこが面白いわけだし、意味も深いと私は思う。

青木　確かに人間の善意は尊いものだけれど、さまざまな社会的問題を「私的な領域」に閉じ込めてしまっていては、北丸さんが指摘されるように、社会や政治のシステムがなかなか変わらない。それは性的少数者などにとどまらず、実は多くの人びとをも生きづらく、息苦しい状態に追い込んでしまうということですね。卑近な話になりますが、僕は長年一緒に暮らしているパートナーの女性と籍を入れていないんです。いわゆる事実婚。お互いにいろいろと考えるところはあっての選択なんですが……。

北丸　それは大変なことも多いでしょう。

青木　確かに面倒なことは多いです。人間関係もそうですが、まさに公的な面でも不自由や不安が多い。たとえば、もしどちらかが病気になったり、急に亡くなってしまったりした際、法的にも社会的にもさまざまな面で相当な制約を受けます。

最近もこんなことがありました。僕のパートナーが生命保険に入っていて、万一の場合の受取人を母親にしていたらしいんですが、彼女の母親も高齢ですから、受取人を僕に変更したいと言い出した。すると生命保険会社が「パートナーと一定期間、一緒に暮らしていた証明」などに加えて、僕との直接面談による確認も必要だというんです。たまたま昨日、その面談があって、なんとか認められましたが、法律婚のカップルであれば必要のない手続きです。

北丸　そうですね。でも、まだ認められるだけマシかもしれない。青木さんはご存知ですが、私は最近、母が亡くなったんです。で、母が私にかけていた生命保険があって、受取人が母になっていたんだけど、書き換えなければならない。ところが、受取人を私のパートナーにすることはできない。

青木　それは僕たちのように「何年一緒に暮らしているか」とか、直接面談で確認するとか、事実婚の男女にかろうじて認められる条件をクリアしてもダメなんですか。

北丸　ダメです。外資系の保険会社では大丈夫なところもあるようですが、基本的には認められない。そうなってくると、たとえば私の財産をどうやってパートナーに遺すか。たとえば公正証書としての遺言をつくるとか、いっそのこと養子縁組をしてしまおうかとか。でも面倒くさいでしょ、それ（苦笑）。

青木　財産をパートナーにどう遺すかは事実婚でも悩ましい問題ですが、同性カップルの場合、いっそのことパートナーを養子にしてしまうと。

北丸　そう。養子なんかじゃないのに（苦笑）、無理やり養子縁組をしてしまうカップルもいます。だから本当に大変。男女の関係と同様、若い時は惚れた腫れたの話でも、いざとなったら命の問題や生き方の問題、現実社会にかかわる生活の問題になり、最後はやはり社会的なシステムの問題になってくる。だから「私的な領域」に押し込めず、「公的な領域」で声をあげなければならない。

ドラマなどに見る社会の風潮

青木　最後にもうひとつ、性的少数者を取り巻く社会の風潮についてもお聞かせください。日本では最近、テレビドラマの『おっさんずラブ』（テレビ朝日系）がかなりヒットしました。要はコメディですが、観ていて一種の感慨を覚えたのは、もはや同性愛が良いとか悪いとか、認めるとか認めないなんていうレベルはすっ飛ばして、男同士の恋愛がごく当たり前のように描かれていました。僕はあまり詳しくありませんが、いわゆるボーイズラブ（ＢＬ）的な描き方なのか、特に女性視聴者が多かったようです。

北丸　あのドラマにも最初のものと続編があって、ほとんど違う話でしたが、特に最初のものの何が良かったかというと、ホモフォビアがまったくなかったことです。出演俳優たちがドラマ以外のところでインタビューに答えた際も、ホモフォビックな言葉は一切発しなかった。

「別にいいじゃん」というスタイルが徹底されていた。戸惑いとか躊躇の気配はあったけれど、少なくとも「気持ち悪い」という話ではなかった。これが続編では、もうそこを飛び越えた二番煎じ的なコメディになってしまっていますから、あまり論評の対象にはなりませんが。

　ほぼ同時期には西島秀俊と内野聖陽が出演した『きのう何食べた？』（テレビ東京系）も放送されていて、こちらの方はもう少しシリアスでした。同名の漫画（講談社）が原作で、一緒に暮らすゲイカップルの食生活を中心に描いたドラマ。もっとシリアスだったのはNHKの『腐女子、うっかりゲイに告《こく》る。』

青木　それもドラマですか。

北丸　ええ。NHKでシリーズ化されたドラマで、こちらはかなりシリアスです。

　主人公はゲイの男の子とボーイズラブ漫画が好きな女の子。その女の子をいわゆる語り部に進行していくから少しコミカルなんですが、ストーリーはどんどん深刻になっていく。『おっさんずラブ』に脇役で出ていた俳優が主役で、『腐女子、うっかりゲイに告る。』のなかでは追い詰められて校舎から飛び降りちゃう。死にはしないんですが、隠れているゲイが抱えるいろいろな悩みなどが台詞によく表現されていて、このドラマを観て滂沱《ぼうだ》の涙を流しているゲイはたくさんいました。私が聞いたところでは、特に若いゲイの子たちがね。

　ですからそういうドラマがこの数年、日本でもやっと作られるようになってきた。でも、漫画が原作のケースが多い。やっぱりお金のあるところには才能が集まるんですね。日本の漫画界って本当にすごいと思う。

編集部　ひとつお聞きしたいんですが、いわゆる「腐女子」って、漫画やアニメ好きというイメージで大括りにされることが多いですが、その大半はＢＬを指しますよね。私はずっと女子校育ちなんですが、小学校のときに竹宮惠子さんの『風と木の詩』（小学館）を夢中になって読んで、中学校ぐらいになると『アナザー・カントリー』や『モーリス』といった映画（いずれも同性愛を描いたイギリス映画）が流行って……。

北丸　いわゆる「腐女子文化」ですね。私はその分野を詳しく追っていませんが、『モーリス』などが流行ったのは１９８０年代。私が翻訳した『フロント・ランナー』も、送られてきた読者カードなどを見ると、読者の大半が女性だったことに驚きました。

編集部　はい、おそらく私と同年代の女性はほぼみんな、そういう洗礼を一度は受けていると思うんです。ゲイに対する一種の憧れというか、男の人を好きになる前に、恋愛をＢＬで知るようなところもある。それこそまさに「ゲイは純粋なんだ」と勘違いしてしまう面もあるんでしょうが（笑）、「腐女子文化」は女性の中にはごく普通に浸透していて、男性同士の恋愛でも、女性同士でも、別にそれは構わないと思っている人は多いような気がします。今の日本が同性愛的なものに急激に寛容な方向に振れた理由の一つに、腐女子の存在、その文化の影響というのは、あると思われますか？

男なんてどうしようもない

北丸　先ほど申し上げたように、女性はどちらでもいいんですって、基本的に。腐女子文化には詳しくないのでその影響はわかりませんが、いずれにしてもやっぱり女性の力はすごい。ロック・ハドソンが死んだ時も、熱心に支援の声をあげたのはエリザベス・テイラー（英国出身の女優、１９３２〜２０１１年）やドリス・デイ（米国出身の女優、１９２２〜２０１９年）。彼女たちがロック・ハドソンを支えた。

　それだけではなくて、フェミニズムの世界の動きで言うと、実はレズビアンの運動は70年代にゲイの運動から一旦離れてしまうんです。それまでは一緒に連帯しながら闘っていたんだけれど、ゲイたちは乱交なんかにうつつを抜かしていたわけですよ。「性の解放だ」とかなんとか言いながら（苦笑）。

　ところがレズビアンたちは当時から一生懸命に「女としてどう生きるか」「人間としてどう生きるか」といったことを考えた。たとえば「コンシャスネス・レイジング（Consciousness Raising＝一般に意識変革、意識覚醒の意だが、ここではあるテーマをグループ討論することを指し、米国の女性運動から始まったとされる）」であるとかヨガであるとか、家庭を持って子どもを育てたり、そういうことに根気強く取り組んだ。で、だらしないゲイに愛想が尽きて袂をわかってしまう。

「男なんてもう大嫌い」と言って、フェミニズムの世界で運動するようになった。

そして80年代にエイズが広がった際、男たちがバタバタと死んでいった。でも、ストレートのお医者さんたちもストレートの看護師さんたちも、ゲイの患者のケアを疎むんですよ、「怖い」と言って。その時に立ちあがったのがレズビアンの看護師さんたち。「どうしようもないわね」「私たちがやるしかない」と言って、エイズ治療の拠点病院にレズビアンの看護師さんたちが詰めかけた。そしてゲイの医者も拠点病院に就職を希望して治療に当たるようになった。

たとえばニューヨークのダウンタウンにあったセントビンセント・ホスピタルなどがそうで、いまはもうなくなってマンションに変わってしまいましたが、ものすごく立派な拠点病院のひとつでした。そこではゲイとレズビアンの医者や看護師が出世し、ストレートの医者は閑職に追いやられる、なんていうことまで起きるほどで。いずれにしても女性たちの地道さと共感力の強さというか、いざとなればゲイだろうがなんだろうが関係なく助けに駆けつける意識の高さは、本当に驚くべきものですよね。

青木　ということは、ゲイだろうがストレートだろうが、結局は男なんてどうしようもないということかもしれませんね（笑）。

北丸　そう、どうしようもない（笑）。そんな結論になっちゃっていいのかなぁ。

一同　（大笑）。

（2020年2月20日）

北丸雄二（きたまる・ゆうじ）

ジャーナリスト、コラムニスト、作家、翻訳家。中日新聞（東京新聞）ニューヨーク支局長を経て、1996年からフリージャーナリストに。長年にわたってニューヨークから米国政治・社会・文化、日米及び国際関係の分野でジャーナリズム活動を行うほか、ＬＧＢＴＱ＋の情報を日本に向けて発信。2018年からは拠点を日本に移して活動中。bayfmやJ-WAVE、TOKYO FM、及びネット報道番組などでコメンテーターやニュース解説、さらに政治や文学、ブロードウェイの翻訳、各種評論なども手掛けている。ＬＧＢＴＱ＋関連では90年に米国ゲイ文学の金字塔と言われる『フロント・ランナー』（第三書館）の翻訳をはじめ、『ゲイ・スタディーズ』（青土社）の監修も行っている。主な翻訳書籍に『カーター、パレスチナを語る』（晶文社）、『ＬＧＢＴヒストリーブック　絶対に諦めなかった人々の100年の闘い』（サウザンブックス社）、『ハーランズ・レース』（扶桑社）。

第8章

半田滋

なぜ日本の防衛はアメリカの言いなりなのか

つづいてもう1人の新聞記者出身のジャーナリストは、東京新聞の記者として長く防衛問題を取材してきた半田滋である。この国のメディア界で防衛問題を取材してきた記者、ジャーナリストは数多いるが、その最有力者だと記してもおそらく異論は出ないだろう。そしてここがとても肝心なのだが、半田は防衛問題を長く専門的に取材しつつ、いわゆる政界の防衛族議員や防衛省、自衛隊といった存在を冷静な眼で見つめ、批判的に対峙するスタンスを堅持してきた。

逆に言うなら、この国のメディア界には取材先や情報源の代弁者に堕してしまう者が相当に多いことを意味している。ことに特定の分野や組織を長く専門的に取材する者にその傾向は強い。政治記者や政治ジャーナリストを自称しつつ、時の政権や特定の政治家の意向をひたすら垂れ流して恥じる気配もない者たちなどはその典型だろう。

だが、情けないことに特定の分野や組織を長く取材している記者は、その分野に精通する為政者や官僚らと一体化する陥穽に嵌りやすい。取材対象の組織やそれぞれの分野の内情に精通したネタ元の懐に入り込み、知られざる事実を世に知らしめるメディアの仕事の性質上、そうした陥穽を避けるのはたしかに難しいのだが、同時にメディアの取材対象となるような組織や為政者を批判的に監視することこそジャーナリズム最大の使命。残念ながら、この相矛盾した仕事をきちんとこなせる記者は決して多くない。

防衛問題において、半田はそれを実践してきた数少ないジャーナリストの1人である。だからイージス・アショアの配備計画撤回や「敵基地攻撃能力」の保有論といった現下最大とされるテーマに加え、戦後日本の防衛政策を規定してきた米国との関係などを含め、本来あるべき日本の防衛政策のありようまでを縦横に語ってもらった。したがって本対談から学ぶべきことは実に多いはずである。

青木　半田さんは東京新聞の記者として長く防衛省や自衛隊を取材してきた防衛問題のエキスパートです。この連載対談のタイトルに引きつけて言えば、今日は「戦後70年と日本の防衛」についてうかがいたいのですが、まずは直近の大きな出来事としてはイージス・アショア（地上配備型ミサイル迎撃システム）計画の突然の撤回でしょう。防衛省の杜撰《ずさん》な対応もあって配備先とされた地元の反発が強まっていたとはいえ、一度決めたら後戻りできない日本政治の宿痾《しゅくあ》を考えれば少々驚きの展開でした。

半田　河野太郎防衛相（当時）が会見して計画の「停止」を発表したのは２０２０年の6月15日。簡単にいえば「迎撃ミサイルを発射した後、そのブースター（補助推進装置）を演習場内に安全に落下させることができない」というのが理由でした。

　これを改修するために２０００億円以上の追加費用と12年もの年月がかかるから、コストと期間にかんがみて「停止」するしかないと突然言い出したわけです。

　その後、政府は国家安全保障会議（ＮＳＣ）を開いて「停止」ではなく「導入断念」という流れになりましたが、いくつか腑に落ちないこともあります。

青木　というと？

イージス・アショアのストップ

半田　自民党の保守派や自衛隊の人びともよく言う話ですが、イージス・アショアで撃ち落とすことを想定しているという弾道ミサイルは、場合によっては核ミサイルの可能性が大きいわけでしょう。その核ミサイルを撃ち落とそうっていう超緊急時に補助推進装置がどこに落ちるかを気にしていたら防衛なんかできない、という面もあって、言われてみればそのとおりでもあるわけですね。

　ところが河野防衛相が強調したのは、地元の住民説明会で「安全に落下させる」と約束してしまっているから、その約束は守らなくちゃいけないと。いやいや、日本の政治家ってそれほど正直に約束を守ってきましたっけ、とも思ってしまう（笑）。

青木　たしかに（笑）。ただ、河野氏はもともと脱原発を盛んに訴えていた一面もあって、少々風変わりではありますが、合理主義者であるのは間違いなさそうです。また、政治的野心だってあるでしょう。

　とはいえ途轍もない費用がかかるのに役に立つかわからないイージス・アショアをストップさせたのは英断だったという見方もあります。

半田　たしかに河野氏は次期首相候補にも数えられていて、石破茂氏や岸田文雄氏ほどの有力候補ではないにせよ、ポイントを稼いでおきたい気持ちがあるのは間違いないでしょう。昨年（２０１９年）の９月に防衛相に就き、無駄を撲滅するとも訴えていて、自衛隊の武器購入計画に無駄がないかといったら、それは山のようにあるわけです。

たとえば自衛隊はアメリカからＦＭＳ（Foreign Military Sales＝対外有償軍事援助）という方式で高額の兵器を大量に購入しています。

青木　アメリカが同盟国などに武器を提供する際、アメリカ政府が見積価格と納期を決める制度ですね。アメリカ製の最先端兵器を導入できるのが利点とされますが、価格も納期もアメリカ側の言い値で決まってしまううえに代金は前払い。最近はトランプ政権のご機嫌とりで安倍政権が超高額兵器を次々と爆買いさせられています。

半田　たしかにＦＭＳの支払いは民主党政権期まで年５００億円程度だったのに、安倍政権になってからいきなり１０００億円を超え、２０１９年には実に７０００億円を突破するところまで膨れあがってしまいました。その中身を見ると、最も高い買い物が実はイージス・アショアだった。

しかもイージス・アショアの場合、導入時にかかる費用だけではなく、維持のためのコストも膨大にかかる。順調に使っても２台で５０００億円近くになるといわれたイージス・アショアの費用って、実はレーダーと管制装置の値段であって、ミサイル発射装置とミサイルは別料金なんです。「カレーが５００円ポッキリ」という店に入ってみたら「ライスは別料金」と言われるようなものです。

そのうえにブースター落下制御の改修費が２０００億円以上もかかるなら、総費用は確実に1兆円を超える。これにイージス・アショアを持ちつづけるためのランニングコストも合わせたらいったいいくらになってしまうのか。

導入時期だって、すでに「早くても２０２５年」と言われているのに、改修すればさらに12年も余計にかかり、そのころには東アジア情勢もだいぶ変わっているだろうし、これはどう考えても見直す必要がある、というのが本当のところだったんでしょう。河野防衛相としてもコストカッターとしての自負があるし、それがひいては自分の知名度アップにつながるという思惑ももちろんあった。

「停止」は本当に英断だったのか?

半田　もうひとつ、これは報じられていないんですが、配備予定地とされた秋田と山口のうち、秋田にはさらに深刻な問題が横たわっていたんです。ご存知のとおり、秋田の配備先は『秋田魁《さきがけ》新報』のスクープで見直しが進められていましたね。
青木　ええ。秋田の予定地は秋田市の中心街に近い陸上自衛隊の新屋演習場が「最適」とされていましたが、地元紙『秋田魁新報』が２０１９年6月5日、朝刊1面トップで放ったスクープによって防衛省調査の杜撰さが判明して大騒ぎになりました。いくつかの候補地のうち新屋演習場を「最適」とした調査内容を『秋田魁』が分析したところ、「周囲の山がレーダーの障害になる」から「不適」とされた候補地の山の仰角が実際より過大だった疑いなどが浮上したんですね。

その後の防衛省の説明などで明らかになったところによると、防衛省はまともな現地調査すらせずにグーグルアース（米グーグル社が無料提供するネット上の地図ソフト）で〝測量〟を済ませ、しかもその読み方を誤っていたという笑うに笑えないミスだったことまで発覚しました。要は「はじめに新屋ありき」だったということでしょう。

半田　そう。そして防衛省は候補地の見直しを進めていた。その発表は河野氏が防衛相になったあとも3度も延期されていて、防衛省に取材すると、どうやら次の候補地は国有林だというんですね。

青木　国有林？

半田　もともと候補地とされた場所が20カ所あって、そのうちのひとつが新屋演習場。ほかに1か所、別の演習場があって、残りはすべて国有林だったんです。演習場なら自衛隊も出入りしていて、生活のための建物もあるし、電気や水道も引かれているけれど、もし国有林を配備先にするなら話が違ってくる。国有林は林野庁の管轄ですし、林を伐採したうえで開墾し、電気を引いたり人が住めるようにしたりしなくてはならない。

青木　いちからすべてやる必要があると。

半田　だからさらにコストが上積みされることになる。しかもそれが秋田とは限らず、秋田が断ったものをなんでオレたちが引き受けるんだという話にもなりかねないわけで、河野防衛相はいったい何回頭を下げることになるのか。

一生懸命にイメージアップに努めなければならない男が、これから何回も頭を下げなければならないのは政治家として決してプラスにならない。だから河野氏の政治家としての事情というのも大きく作用したと僕は思っています。

青木　なるほど。英断は英断にせよ、河野防衛相の政治的打算も透けて見えると。

半田　そうです。

アメリカのご機嫌取り

半田　それにこれはもともと政治案件なわけです。イージス・アショアと同じ能力があるイージス護衛艦だって、かつては4隻しかなかったけれど、来年（2021年）3月に就航する「はぐろ」なども入れれば8隻に倍増される。しかも迎撃ミサイル能力はそれぞれ2倍に向上しますから、本来は4隻を半減させてもいいぐらいなんです。それを8隻に増やすわけで、そうしたことを防衛省は図表までつけて国民に説明してきました。

つまりイージス・アショアなんていうのは、最後に追加で乗っかってきたようなもの。いまでこそいろいろな理屈を言いますよ。船だと乗員の負担が大きいとか、海だと潜水艦に攻撃されるとか、いろいろな理屈はつけるけれど、そんなことを言い出したら水上艦はすべて同じことです。

だからそれはすべて後づけの理屈であって、実態は２０１７年1月にトランプ大統領が就任し、安倍首相が真っ先にアメリカを訪問し、そこでトランプ大統領から武器の爆買いを迫られたのがすべての引き金だったわけです。

実際にこの年の2月の参院本会議で安倍首相が武器の追加購入を表明し、これを受けて自民党政調会に検討チームが立ちあがり、5月にはイージス・アショアかＴＨＡＡＤ（米国が開発したミサイル迎撃システム）かどちらかを買えという流れができた。

そして8月には当時の小野寺防衛相がアメリカに行って、同じく当時のマティス国防長官にイージス・アショアを売ってくれと伝えた。アメリカは万々歳ですよ。そして12月には閣議決定でイージス・アショアの導入が決まった。

つまり安倍首相がトランプ大統領に会いに行ってわずか11カ月で決まってしまったんです。軍事的な合理性や必要性が高まったから購入したのではなく、安倍首相がアメリカのご機嫌取りで購入したわけです。そう考えると逆に不思議なのは、河野防衛相の主導でなぜ「停止」から「撤回」にまで持ち込めたのか、これがいまだに謎ではあるんです。

青木　それは「一強」官邸の求心力がさすがに弱っていたことも大きいんじゃないですか。森友、加計学園や「桜を見る会」などの諸問題に加え、特に新型コロナウイルスの感染対策をめぐる後手後手でピント外れな対応に政権批判が高まり、政権支持率は急落傾向を示していました。だから給付金は迷走の末に一律10万円への政策変更を迫られ、検察庁法改正案も撤回せざるを得ない状況に追い込まれていたわけですから。

半田　そう。それ以外に考えられない。

ミサイルは迎撃できない

青木　なぜ「撤回」に至ったかの政局的な話はともかくとして、イージス・アショアの導入が軍事的な合理性や必要性から決まったものではないという点をもう少し突っこんで聞きたいのですが、配備先が秋田と山口に決まったのはいったいなぜだったんですか。これはイージス・アショアが日本防衛のためではなく、アメリカ防衛のためだからじゃないか、と一部で指摘されていますね。仮に北朝鮮から発射されるミサイルを想定した場合、秋田上空の延長線上にはハワイがあり、山口上空の延長線上にはグアムがあるからだと。

半田　それは偶然の一致だと僕は思います。今回は陸上自衛隊がイージス・アショアを運用する予定になったので、陸上自衛隊の演習場を中心に候補地を探していって、2台で日本列島を守るのに場所としては秋田と山口がベストの配置だったのは事実でしょう。ただ、結果的に見れば秋田上空を通過する弾道ミサイルはハワイに届くのとルートが一緒だし、山口県の萩上空を通過するのはグアムに届くのとルートが一緒になる。

　実際にアメリカのＣＳＩＳ（戦略国際問題研究所、ワシントンに本拠を置く有力シンクタンク）は「巨大なイージス艦としての日本」という論文を出していて、まさにこの２カ所のイージス・アショアがアメリカを守るためのセンサーになると書いています。アメリカにとってみれば、自国のイージス艦をわざわざ出さずとも自衛隊がウォッチしてくれれば負担軽減になるという考えはあるでしょう。

　ただ、仮に北朝鮮からアメリカ本土やハワイに向けてミサイルが撃たれた場合、日本列島の上空ではまだブースト段階なんです。イージス・アショアにしてもイージス艦にしても、ミッドコース段階にならないと迎撃ミサイルを撃てません。

青木　ブースト段階というのは、まだ推進力を持ってミサイルが上昇している段階ですか。

半田　ええ。それがブースト段階で、ミサイルが宇宙空間に出た真ん中がミッドコース段階、落下してくる最終段階をターミナル段階と言います。

青木　要するに北朝鮮からアメリカに向けて発射されたミサイルを日本上空で迎撃することはできないと。

　ところで根本的なことを聞いてしまいますが、ミサイルを迎撃するって簡単に言いますけど、本当に迎撃なんてできるんですか。素人考えでは、途轍もなく難しくて当たらないんじゃないかと思うんですが。

半田　当たりません。

青木　やっぱり（笑）。

イージス・アショアなんて欲しくない

半田　少なくとも日本のイージス艦は4隻で実射テストしたとき、1隻は外してしまいました。単純計算で4分の1、つまり25%は外す。しかもテストですから、模擬ミサイルがどこから撃たれるかを分かっていて外しているんです。ミサイルが来る方向と時間が分かっているのに外してしまっている。

青木　では、いきなり撃たれたら当たらない可能性の方が高いと。

半田　当たらないし、北朝鮮などにしたってミサイル防衛網を突破するためのノウハウを研究しています。

また、イージス・アショアにせよイージス艦にせよ、いざという時は遠くまで探知するためにレーダーを絞り込み、探知範囲が極端に狭くなってしまうんです。普段は360度を探知しているけれど、それは接近してくる敵の航空機などから自艦を守るためで、弾道ミサイルを探知する際は細い筒状にまで探知範囲を絞り込んで相手の発射装置に向けなければならない。
　だからアメリカの早期警戒衛星や偵察衛星との連携が不可欠になるんですが、少しでもズレちゃうともうダメ。しかも1か所からじゃなく、あちこちから弾道ミサイルを撃たれれば、仮に最初の1発は迎撃できたとしても、2発目以降には対処できない。
　もともとこんなものは役に立たないんですよ。だからこそ冷戦時代にアメリカとソ連がＡＢＭ制限条約を結んだんです。

青木　弾道ミサイルの迎撃を狙った兵器の配備を制限する米ソの条約ですか。

半田　ええ。要するに弾道ミサイルを撃ち落とすシステムなんてコストの無駄であって、お互いが疲弊するだけだからやめようね、ということだった。
　ところがブッシュ（ジュニア）政権が２００２年にＡＢＭ制限条約を突如破棄してアメリカ軍に配備を開始してしまった。そうやってまずアメリカがカネをかけてしまったから、日本もアメリカ製を導入することになった。つまりミサイル防衛システムそのものが対米追従のための道具だったわけです。そこに安倍首相がイージス・アショアまで乗っけてきた。

青木　トランプ政権のご機嫌とりのために政治案件として、ですか。それでは防衛省や自衛隊の現場としてみれば、イージス・アショアなんて別に欲しくないと。

半田　欲しくない。

青木　そんなものに多額のカネを使うなら、別のものに使ってくれという自衛官は多いと。

半田　自衛官は23万人いますが、極論すれば23万人がそう思ってるんじゃないですか。

制服組は誰も手をあげていない

青木　そう考えていくと、イージス・アショアの配備先をめぐるお粗末な調査の理由もうっすらと見えてきますね。本来であれば、陸上自衛隊には一級建築士の資格を持っている自衛官だってゴロゴロいるわけですから。

半田　おっしゃるとおりです。イージス・アショアは政治案件として導入されることになり、配備先としては東北地方とか中国地方というおおむねの場所は決まっているんだけど、最初に予算計上をしたのが陸上自衛隊じゃなかった。官邸が勝手に決めて防衛省の内局が「わかりました。では予算にのせます」ということになったんです。防衛省・自衛隊の予算というのは本来、陸海空のいずれかが予算要求するんですが、今回は内局が要求しているんですね。

青木　陸海空の自衛官を「制服組」と呼ぶのに対し、防衛官僚を一般に「背広組」と呼びますが、その「背広組」の内局が予算要求するっていうのはこれまでもあったことなんですか。

半田　ほとんどありません。ただ、安倍政権になってからいくつかありました。グローバルホークなんかもそうです。

青木　情報収集や偵察などを任務とするアメリカ製の無人偵察機グローバルホークも安倍政権

がＦＭＳ契約での導入を決めたものです。

半田　つまり官邸が言い出したか、内局にも官邸を忖度《そんたく》している人がいるのか、いずれにしても制服組は誰も手をあげていないのに導入されることになり、その後にどこが使うかを決められた。イージス・アショアはその典型です。

　また、いま青木さんがおっしゃったように、陸上自衛隊には施設科部隊というのがあって、ＰＫＯ（国連平和維持活動）で名を知られた世界一優秀な工兵部隊です。なかには一級建築士もいて、グーグルアースで山の高さを読み間違えるなんていうお粗末なミスを起こすはずがない。

　つまり、陸上自衛隊は今回の調査に一切関わっていないわけです。内局の人たちが上司に言われて嫌々やっているから、あんなデタラメな仕事になってしまう。

青木　まったくバカげた倒錯ですね。

半田　バカげています。

ミサイル防衛システム導入計画自体が壮大なおとぎ話

青木　しかし、そう考えるとイージス・アショアをめぐる防衛省の杜撰調査は、財務省で起きた公文書改竄《かいざん》であるとか、厚生労働省で発覚した不正統計などと相似形の不祥事ということになりませんか。いずれも官邸がトップダウンで物事を決め、あるいは官邸の顔色や無茶な意向を忖度し、各省の官僚たちが右往左往させられた結果として信じがたい問題を引き起こした。下から積みあげた政策であったり、せめて官邸と各省がきちんと意思疎通したうえでの決定なら、こんなことが起きるはずもなかったでしょう。

半田　そうですね。いずれも非常に似ている点があると思います。

青木　それにしても、政治案件として降ってきたイージス・アショアを自衛隊の制服組が冷めた眼で眺めていたというのは興味深い話です。

半田　本当に冷めてます。先ほどお話ししたように、ミサイル防衛システムの導入自体、小泉政権下の２００３年に決まったわけですが、当時の陸海空の幕僚監部の防衛部長３人がそろって反対を明言していました。

　ところが当時の守屋武昌防衛事務次官が盛んに動き、守屋次官に泣きつかれた山崎拓氏（自民党副総裁や防衛庁長官などを歴任。防衛族の重鎮としても知られた）がこの３人を東京・四谷近くの中華料理店に呼び出して説得したそうです。「俺が頭を下げるから頼む」と。ある防衛部長が僕に「半田さん、そこまで言われたらダメだとは言えないよね」と漏らしていました。

　要するにミサイル防衛システムの導入自体が当初は防衛官僚の功名心ではじまり、イージス・アショアの導入は安倍首相のトランプへのご機嫌取りで決められた。なにひとつ軍事的合理性があった話ではないんです。

青木　防衛官僚の功名心というと、つまり当時の守屋次官の功名心ということですか。守屋氏といえば2003年から4年以上も防衛事務次官に君臨して「防衛省の天皇」とまで呼ばれたのに、退官間もなく収賄容疑などで東京地検特捜部に逮捕されました。在任中に防衛関連業者から過剰な接待などを受けたという事件ですでに有罪が確定していますが、その守屋氏がミサイル防衛システムの導入に動き回ったというのは、結局はアメリカへのお追従で？

半田　そうでしょう。僕は守屋氏に直接話を訊きましたが、彼は「アメリカはこの開発に10兆円もかけたんだから、同盟国として一部を負担するのは当然だ」という言い方をしていました。

自分の権力の使い方を間違えさえしなければ、彼は立派な面のある防衛官僚だったと思いますが、日本の政治家がアメリカに逆らって生きていけないのと同様、少なくとも外交や安全保障に関わる役所の事務次官たる者はアメリカに三顧の礼を尽くさなくちゃいけないと考えたんでしょう。

だから軍事的な合理性がどうとか、どこかの国のミサイルが脅威だからという話ではない。北朝鮮のミサイル開発が脅威だからなんていうのは全部後づけです。だって、北朝鮮の核とミサイルはアメリカへの抑止力として開発されているわけです。

つまり日本にミサイル防衛システムを導入するという計画自体が一種のおとぎ話というか、いわば砂上の楼閣のようなものであって、それをいくら踏み固めようとしてもどこかでボロが出てしまう。今回のイージス・アショアの配備撤回はその典型でしょう。

軍隊組織内の「独特の常識」

青木　一方、制服組と呼ばれる幹部自衛官の実像も聞かせてください。

少し前の話ですが、航空自衛隊のトップなのに浅はかな歴史修正主義や陰謀史観に満ちた懸賞論文を書いた田母神俊雄氏が更迭されて騒ぎになりましたね。日中戦争や太平洋戦争はコミンテルン（国際共産主義運動）によって引き起こされたとか、日本が侵略国家だったというのは「濡れ衣」だとか、おかしな歴史観を持つ自衛官が空自という実力組織のトップにまで上り詰めていたことに薄ら寒さを覚えた人も多いでしょう。こんな人物はほんの一部であって、まともな幹部自衛官が多数派だと信じたいのですが。

半田　まともな人は半分以下かもしれません。

青木　半分以下、ですか。

半田　まず、たいていの幹部自衛官は次第に〝政治将校化〟していってしまう。内局とうまく関係を築き、とりわけ時の大臣に尽くして引き立ててもらおうというふうに変わっていくわけです。

一方、田母神氏のような歴史修正主義者がなぜ生まれてしまったかといえば、これはやはり防衛大学校の弊害が大きいと思います。

青木　というと？

半田　たとえば、防衛大学校で寮生活を送る学生たちはいまだに４人部屋。昔は８人部屋とか、もっと多かったんですが、いまは４人部屋に４年生、３年生、２年生、１年生が一緒に暮らす。普段から先輩の薫陶をひたすら受け、ある意味で独特の常識が備わってきてしまう。

青木　独特の常識、ですか（笑）。

半田　一例をあげれば、「日本国民に愛国心が足りないのは日教組が教育を支配しているからだ」なんて言い出したりする（笑）。いったいそれはいつの時代の話だよって言いたくなるけれど、非常に狭い世界ですし、ようするに軍隊組織ですから、そういう偏狭なものの考え方がいまだに一子相伝的に延々と伝えられている面はあります。

青木　防衛大学校って、一般の大学のレベルでいうとどれぐらいになるんですか。

半田　１９５３年に防衛大学校が保安大学校という名称で創設されたばかりのころはすごくレベルが高くて、東京大学と防大に両方受かって防大に入った、なんていう人もいるくらいでしたよね。

たとえば防大出身で最初に統合幕僚会議議長になった佐久間一氏（１９３５〜２０１４年）は東大にも受かっていた。かつてはそれくらい志のある若者もいましたが、最近は中堅レベルの大学程度かそれ以下でしょう。

青木　でも、防衛省の付属機関として幹部自衛官を育成する防衛大学校は、在学中の学生に

〝給料〟が支払われるわけでしょう。

半田　そうです。

青木　しかも学費は無料。それなりに希望者はいそうな気がしますが。

毎年100人が辞める防大

半田　でも全寮制ですし、上下の関係に厳しく縛られますから。最近も福岡出身の防大生がいじめを受けて辞めてしまい、本人が防大を相手取って裁判を起こしていますが、学内で体罰などが横行していることなども浮かびあがってきています。いじめや体罰の実態を聞くとひどいもので、これも極論すれば、そのあたりの愚連隊以下のレベルかもしれません。

そういう環境のなかで教育を受けていた人びとが自衛隊を背負っているのは深刻なことで、あらためて実態をつまびらかにして改善していかないと大変なことになりかねないと思います。

青木　だからこそ任官拒否なども出てくると。

半田　その任官拒否も、メディアなどでよく取りあげられるのは、卒業時に任官しない任官拒否でしょう。そこだけが注目されがちですが、防衛省はもう少し幅広く統計をとっています。

まずは4年の在学中に辞めてしまう防大生が何人いるか。それから卒業時の任官拒否と、任官しても最初の8月まで、つまりボーナスをもらって4か月で辞めちゃうという、この3つの統計をとっていて、すべて合わせると毎年だいたい１００人ぐらい辞めているんです。

青木　防大生は1学年に何人ぐらいいるんですか。

半田　年によって違いますが、だいたい４００人から５００人ぐらいで、そのうち１００人ぐらいが辞めてしまう。厳しい生活に耐えられないとか、自分が考えていたような学校じゃなかったとか、いじめや体罰が原因のケースもあるでしょう。

青木　４人から5人に1人の新入社員が辞めてしまうのは、一般的には相当な〝ブラック企業〟ですね。

半田　特に注目されるのは、イラク戦争が激しかったときに１７０人ぐらいが辞めてしまったケースです。最近も安倍政権が憲法解釈を変更し、集団的自衛権の行使は合憲だと閣議決定したときも１５０人ぐらいが辞めた。

　つまり、自分が戦争に行かされるかもしれないとか、将来は幹部自衛官として部下に無茶な命令を出さなくちゃいけないかもしれないと考えるようになると辞めていくわけです。逆にいえば、政治を信頼できないと感じた時に辞めていると言えるかもしれません。

自衛隊は組織として歪んでいる

青木　そういう防大生が辞めてしまい、そして残った大半の者が幹部候補として陸海空の自衛隊に入っていくと。

半田　ただ、それではとても足りないので、一般大学の出身者はもっと多く採用されています。特に海上自衛隊は防大出身者に不人気ですから、一般大の出身者の方が多いですね。

青木　海上自衛隊がなぜ不人気なんですか。

半田　船に乗れば家に長期間帰れなかったり、港のあるところにしか基地がない。そうすると陸上自衛隊みたいに地場産業化もしませんから。

青木　なるほど。

半田　そうやって防大生は卒業後の半年間、一般大の出身者は1年間、それぞれ幹部候補生学校に入って専門教育を受け、卒業と同時に3尉（自衛官の階級のひとつ。3尉以上が幹部自衛官）になる。

　ところが一般大の出身者が将官（自衛官の階級で「将」と「将補」にあたる最高幹部職）になることはほとんどない。将官になるのはすべて防大出身者です。たまに一般大学の出身者が将官になっても、その大半は東大出身なんですね。

青木　東大を出て自衛隊に入る人も結構いるんですか。

半田　年に何人かはいます。その東大出身者が将官になることはあっても、他の将官はすべて防大出身者で占められている。一般大学の出身者にも、早稲田大学とか慶應大学とか上智大学とか、一般的には優秀とされる学校を出た人たちもたくさんいるのに、決して上にはいけないんですね。はっきり言って、組織としてかなり歪んでいる。その防大でどんな立派な教育が行われているかといえば、いじめや体罰が横行しているのですから問題の根は深い。

背広組と制服組の力関係

青木　では、背広組と呼ばれる防衛官僚と制服組の関係に話を戻しますが、少し前まで日本の防衛省・自衛隊には、政治家による「文民統制」＝「シビリアン・コントロール」に加え、背広組による「文官統制」もそれなりに機能していたとされていましたね。官邸との折衝などは原則として背広組が担い、制服組が政治と直接関与するのを控えるのが戦後日本の長いしきたりのようなものでした。これが徐々に変質し、制服組が直接政治と結びつくようになってきたようですが、これをどう捉えるべきですか。

半田　かつて橋本龍太郎政権で制服組が初めて官邸で説明することが行われましたが、結局は途切れてしまい、小泉政権あたりからまた制服組が官邸に行くようになりました。それが安倍政権でさらに大きく進められた。

　特に安倍政権下では国家安全保障会議（ＮＳＣ）ができて、このアドバイザーとして統合幕僚長（制服組のトップ）が参加しているものだから、首相動静にも統幕長の名前が頻繁に出るようになりました。ほかにも北朝鮮や中国の無線を傍受している防衛省情報本部の本部長などもよく官邸に話をしに行っていて、内局をはさまないで（制服組が）官邸に行くのはわりと当たり前になりました。

この背広組と制服組の力関係の変化で言うと、やはりイラク派遣が大きかった。それ以前にもＰＫＯ協力法ができたりして、自衛隊のカンボジア派遣などもあったわけですが、戦地であるイラクで活動してきたことが力関係の変化に大きな影響を及ぼしました。

青木　というと？

半田　イラクには内局（背広組）から1人しか行ってないんです。それに対して制服組は６００人が派遣された。僕も取材でイラクへ行って帰ってきて、これじゃダメだよ、せめて内局から5人は送らないと力関係が狂っちゃうよ、と言ったんですが、やっぱり狂っちゃいましたね。背広組は引き続き法律や予算を牛耳ることで制服組を抑え、優位性を保とうとはしていますけれども。

青木　どうなんですか。制服組が力をつけて政権と直接結びつく傾向が強まり、「文官統制」が弱まることを危惧する防衛専門家の話を聞いたこともあるんですが、半田さんはどう考えますか。

半田　悪いことばかりでもないとは思うんです。政治家が制服組から直接話を聞けば、内局がさまざまな忖度で情報をねじ曲げることもなくなる。一方、制服組はもっと国会で答弁に立つべきだと僕は思っています。というのは、どんなに適当なことをやっても国会で矢面に立つのは背広組だという感覚が制服組にはあるので、逆に「困らせてやれ」などと考える悪いヤツもいるんです。

でも、実際に行動するのは制服組なわけですから、自分たちが具体的に何をやって、政府がどんな指示を出したからこうなったということは伝えるべきでしょう。これは内局を間にはさむ必要などなく、堂々と国会の安全保障委員会などに出ていって話せばいいと思う。

逆に内局も遠慮せず、良い提案ができるようにすべきです。なのに安倍政権下では内局が政権の言いなりになってばかり。もっと幅広い意味での国益に資するような組織に変わるチャンスじゃないかと思うくらいです。

それより僕が最近問題だと痛感するのは、特に自民党の国防族あたりの暴走ですよ。本来は安全弁たるシビリアン・コントロールが一番危険な装置かのような状況になってしまっている。

青木　イージス・アショアが撤回に追い込まれるやいなや、政権や与党から噴き出してきたのが「敵基地攻撃能力」の保有論ですからね。

半田　そうです。安倍首相もイージス・アショアの撤回を簡単に受け入れたかのように見えて、実はそれが一番やりたいことだったんじゃないか。

安倍首相などは典型的ですが、自民党内でも軍事的専門性のない人たちが好き勝手なことを言う。たとえば護衛艦「いずも」の空母化なんて典型例です。

「いずも」空母化計画を自衛隊は必要としていない

青木　海上自衛隊が保有する最大のヘリコプター搭載護衛艦「いずも」については、Ｆ35Ｂ戦闘機を搭載できる空母化の改修工事が現在進められています。

半田　「いずも」を空母化したいだなんて、保有する海上自衛隊も、そこに載せる戦闘機を運用する航空自衛隊も、誰も言っていないんです。日本防衛に空母が必要だなんて、制服組は誰も思っていない。

青木　そうなんですか。

半田　思ってませんよ。これは２０１８年末に策定した「防衛計画の大綱」に向け、自民党の国防族が同じ年の5月に出した提言に勝手に書き込んだんです。彼らの頭のなかには軍事マンガ程度の世界観しかないんでしょう。

たとえば護衛艦の「いずも」や「かが」も、空母のように見えるけれど、もともとは日本防衛のために潜水艦を発見する船として開発されたんです。空母というのは本来、外国に行って真珠湾を攻撃したような打撃力ですよ。そんなものは日本の安全保障政策にふさわしくないし、実際にやれっこない。

ところが日本はもっと攻撃力を持つべきだという理屈で「いずも」の空母化計画につながっ

た。いま議論になっている「敵基地攻撃能力」もそうですが、自衛隊はそんなことを望んでいません。だいたい自衛隊は専守防衛の旗印の下、軍事組織としてはいびつな形になっていて、守りには強いけど攻めには弱い。なのに攻めにも強くしたがっても、限られた予算と人員のなかでどうやって二足の草鞋を履くのか。

青木　二足の草鞋《わらじ》を履こうとすること自体が難しいわけですが、それは戦後日本の歩みや憲法秩序に違背し、周辺国を刺激して無用な緊張を生む恐れもある。「敵基地攻撃能力」にしたって、どの国を想定するにせよ、攻撃の大前提だというミサイル発射の兆候をどうやってつかむのでしょうか。しかも、どの範囲まで「敵基地攻撃」の対象とするのか。

半田　そうです。なのに自民党の国防部会は先日の8月4日、「敵基地攻撃能力」の保有などを求める提言書を官邸に持って行った。それを見ると、抑止力を強化するために必要だと書いてある。

　しかし抑止力というのは、手を出したらひどいしっぺ返しを受けるから手を出すのはやめようという機能です。少なくとも政府はそう定義してる。逆に言えば、日本の「敵基地攻撃能力」が小さなものだったら抑止力になんてなりません。果たしてそんなに強大な力を持つべきか、持てるのか。

結局はアメリカの2軍と化す

半田　また、いま想定されている「敵基地攻撃能力」はやはり北朝鮮のミサイル基地を叩くことでしょうが、防衛白書にも北朝鮮は日本に届くミサイルを数百発保有していると書いてある。しかも北朝鮮は発射基地を転々と変えていて、車両で移動するとも白書には書かれている。

　一方、日本が保有している情報収集衛星は北朝鮮の上空を1日に1回しか通らないから、仮に時速30キロで移動させても24時間後にはだいぶ離れてしまうわけで、いったいどこからミサイルを撃ってくるのか割り出すのは困難を極めます。最も重要なのはヒューミント（人的な諜報活動＝人による情報収集）だけど……。

青木　そんな能力は現在の日本にありませんし、つくろうとしたら膨大なカネと手間がかかるでしょう。結局のところ、日本は専守防衛に徹しつつ、周辺国との敵対関係を可能な限り緩和する外交に力を尽くすしかないと。

半田　ええ、そう考えれば、「敵基地攻撃」なんてどう考えても無理であって、自民党の国防族あたりが「敵基地攻撃能力を持つべきだ」と言っているのは、単に自衛隊を「普通の軍隊」にしたいということでしかない。北朝鮮の脅威だとか中国への牽制だとかじゃなくて、アメリカがどこかで戦争するときのお役に立つ2軍をつくろうという話にしかならないんです。

青木　つまり「いずも」を空母化したいというのも、アメリカも中国も持っている空母が「僕らも欲しい」と国防族なる政治家が叫んでいるのは……。

半田　要するに軍国少年の夢（苦笑）。そして結局はアメリカ軍の2軍と化す。

アメリカで先日、「ボノム・リシャール」っていう強襲揚陸艦がカリフォルニア州サンディエゴの海軍基地で火災を起こして燃えてしまったんですね。「ボノム・リシャール」って「いずも」や「かが」と甲板の長さが一緒なので、改修すればアメリカ海兵隊の垂直離着陸型のF35Bが載せられる。プラットホームとして「いずも」でも「かが」でも出しますよ、と言える。

そうなると日米の共同運用が可能になるし、自衛隊が将来、F35Bを保有して運用できるようになれば、アメリカが中東に出て行って戦争するときにイギリスがやっているのと同じような戦力の補完ができるようになる。つまりイギリス化です。自衛隊のイギリス軍化が進んでいくということでしかないと思う。

「敵基地攻撃」というマッチョなテーマ

青木　僕などはつくづく不思議で仕方ないんですが、新型コロナウイルスの感染防止対策では後手後手でピント外れな対応に終始した政権が、検査体制すら遅々として増えない理由として「目詰まりがある」などと泣き言を口にしたわけですね。それに与党がなにか積極的に働きかけたり、提言を発することもほとんどなかった。

ところがイージス・アショアが撤回されるや否や、与党の国防族はわずか1か月あまりというスピードで提言を取りまとめ、「敵基地攻撃能力を持つべきだ」などという強烈なメッセージを発した。

安倍政権のお決まりのフレーズは「国民の生命と財産を守るのが政治の使命」でした。そんな薄っぺらなフレーズを信じてもいませんが、わずかでもその気があるのなら、まさに人びとの命と健康、財産が直接の危機に瀕している新型コロナ対策に全力を傾注すべきだというのに、こちらでの動きは恐ろしいほど鈍く、防衛だとか「敵基地攻撃」といったマッチョなテーマになると嬉々としてヒステリックな声をあげる。

いったい自民党の国防族っていうのは、どんな連中なのかと見ればいいですか。

半田　特に今回の「提言」に関わった面々は、大半が防衛大臣や副大臣、政務官などの経験者なんですね。その他大勢の自民党の先生方とは違う、これも一種独特な価値観を持っている。防衛問題に妙な理解があるように思い込んでいる人びとの集合体です。
しかも彼らは防衛大臣などをやってはいるけれど、ごく短い期間しか防衛問題や現場を見ておらず、断片的な知識しかない。それなのに「オレたちは一番知ってるんだ」というような態度を前面に出す。自民党の国防族のなかで唯一まともなのは岩屋毅氏（外務副大臣や防衛相などを歴任）ぐらいです。岩屋氏は「敵基地攻撃なんてなぜやるのか、そんな馬鹿なことはやめた方がいい」と訴えました。提言のなかに「敵基地攻撃」という直接的な文言が入らなかったのは岩屋氏のおかげです。

それ以外は大半のメンバーが防衛問題をマッチョ的にかじった人ばかり。要するに勇ましいことを言った方が有権者に受ける、次の選挙に有利だとでも考えてるんじゃないでしょうか。また、政治家にありがちな嫉妬もあるんでしょう。

青木　嫉妬ですか。

悲惨な日本の防衛産業

半田　たとえば小野寺五典元防衛相などは、河野氏ばかりが目立つことへの反発がある。特に今回のイージス・アショアの配備停止は防衛相ＯＢや国防族の誰にも相談しないで決められましたからね。記者会見を突然開いて発表したので、翌日の自民党の部会で小野寺氏は激高してました。

青木　オレは聞いてないぞ、と。

半田　しかも小野寺氏にしてみれば、イージス・アショアは自分が大臣のときに決めた案件ですから、それを河野氏にちゃぶ台返しされた思いが強い。その意趣返しなどもあっての「敵基地攻撃能力」。一方、防衛省にも問題はあります。

青木　というと？

半田　つまりA案であるイージス・アショアを撤回するなら、役所としては本来、B案やC案を用意しておかなければならない。

　僕は先日、中谷元氏（防大卒、自衛官出身の元防衛相）に会って話を聞きましたが、防衛省側からはまったく代案がなかったと言っていました。要するに政治案件だから、自分たちにB案もC案もないってことでしょう。押しつけられただけの話だから、配備を断念するならみなさんで考えたらいいでしょって、そのぐらいの思いなのかもしれません。

　そこに小野寺氏みたいな嫉妬も混じり、稲田朋美氏（元防衛相）のように「ここで名を売らなくちゃ」というような人まで出てくるからタチが悪い。

青木　お話をうかがっていると、アメリカにひたすら媚びへつらう政権と、実力組織を「文民」としてコントロールしなくちゃいけないのに勇ましいだけの妄想を振り回す政治家と、そこに嫉妬や売名も絡みあって防衛問題や自衛隊が翻弄されているというか、おもちゃにされてしまっているような印象です。

半田　まったくそのとおりだと思います。特に近年はその傾向が強すぎて、下から積みあがって物事が決まることがどんどんなくなってきている。

　その最大の弊害がアメリカから高額武器を大量購入することですが、これによって日本の防衛産業は悲惨な状況に追い込まれています。

これまで一番儲けていたのは三菱重工業だったわけですが、アメリカにカネを払うのを優先させたことで三菱重工への支払いができなくなって、従来の5年分割を10年分割に延ばす特措法ができました。スペースジェットの開発が遅れているといった三菱重工自体の責任もあるけれど、長崎造船所を身売りするとか、国内の防衛産業を窮地に追い込んでいるのは間違いありません。

ほかにも、たとえばエアコンで有名なダイキン工業は装甲車関連の事業を持っていたけれど、それを維持するための最低限の発注が止められ、もう事業から撤退してしまいました。そういう影響はあちこちで出ています。

青木　日本の安全保障にとってアメリカとの関係は非常に重要だとしても、アメリカにひたすら追随して戦後日本の矜持が歪み、そればかりかカネばかり貢がされて関連産業が空洞化していく。あらゆる意味で深刻ではありませんか。

アメリカが望む国にしかなれないのか

半田　現在の「防衛計画の大綱」は2018年の12月に改定され、いわゆる安保法制ができる前の2015年4月には日米ガイドライン（「日米防衛協力のための指針」の通称。日米両政府が取り交わす政策文書）が改定されています。日本が他国などから攻撃を受けた際、陸上戦闘があり、海上戦闘があり、航空戦闘があり、ミサイルが落ちてくるといったことも想定し、アメリカがどんな形で手助けをしてくれるかが細かく書かれているんですが、すべてに通じているのは「一義的には自衛隊が対処し、米軍はこれを支援して補完する」ということ、つまり「自衛隊が前面に立って頑張れよ」ということです。

しかし、改定前の1997年のガイドラインはもっと具体的でした。アメリカは打撃力を持って支援するとか、遠征打撃力を派遣するとか、アメリカが一生懸命手助けするというメッセージが随所に読み取れた。ところが改定されたガイドラインはアメリカが明らかに一歩引いている。

そのアメリカから言われているのは、自分の国は自分で守れるようになれ、ということです。だから自衛隊がどんどん兵器を持って強くなったり、安保法制を作って海外でアメリカを支援するようになるのは、アメリカにとって歓迎すべきこと。このままいくとアメリカが望む国にはなるけれど、国内的には憲法が形骸化し、国内の防衛産業も疲弊して空洞化していく。アメリカには可愛がられても、実態は火の車になってどうにもならない。

青木　戦後日本の保守政権は、もう少し知恵としたたかさがありましたね。いくらアメリカから要求されても、そのアメリカが「押しつけ」た憲法の制約があるからできないんだと抵抗してきた。

ところがその保守政権は劣化し、ひたすら政権維持のみを考えてアメリカに媚びへつらったり、薄っぺらでマッチョ軍国少年的な政治家ばかりが増え、結果として憲法がないがしろにされて国内が空洞化していく。
　せめてアメリカの要望を受け入れる代わりに日米地位協定を大幅に改善しようとか、沖縄の基地負担を減らすために米軍基地を縮小しようという交渉でもするのなら救われるのですが。

半田　同感です。ご存知のとおり韓国にも在韓米軍があって、日本より少ないけれど3万人ぐらい駐留している。朝鮮戦争はいまだに休戦状態だから日本よりはるかに緊張しているはずなんですが、米軍の駐留経費をどうするかという交渉が昨年からつづいていて、アメリカ側が5倍増を求めたのを韓国政府が断って、今年4月からは米軍基地従業員が無給状態になってしまったんです。
　日本は基地従業員の費用はとっくに負担していたけれど、韓国は負担していなかった。仕方なく現在は韓国政府が暫定的に負担していますが、それでもアメリカ側と議論を続けている。途中で妥協しないという姿勢を示している。それで何が起きたか。

武器こそが不要不急

半田　たとえば在日米軍でも新型コロナウイルスの感染者が多数出ましたが、在韓米軍基地で発生した感染者の場合、どこでどういう行動をとって感染したかといった情報が細かく全部発表されている。
ところが日本では、そういうことが在日米軍司令部のホームページなどにも一切出ていない。沖縄県などが抗議し、7月21日からようやく感染者数だけを出すようになりましたが、在韓米軍と在日米軍はまったく別の軍隊のように情報公開のレベルが違う。
つまり、きちんとモノをいう韓国政府にはアメリカも一目置いてそれなりに対応するけど、ひたすら言いなりになっている日本政府はナメられているんです。

青木 日本政府には伝えているけど、日本政府が発表していないということでもないんですか。

半田 いや、伝えられていないようです。防衛省の記者会見でもそういった質問が出ていて、河野防衛相は「米軍と保健所との間で情報交換しているから問題ない」と答えているんですが、僕は沖縄県の地域保健課に問い合わせました。すると、米兵が何という店に行ったかだけは伝えてきているけれど、その米兵が男なのか女なのか、1人で行ったのか2人で行ったのかも伝えられてきていない。

青木 それでは行動履歴を追いようがない。

半田 そうです。韓国に比べ、明らかに日本はナメられている。与しやすいと思われている。
これも韓国の話ですが、日本と同じように今年4月に第二次補正予算が国会を通ったんですが、そのなかで韓国はF35の購入費を一部削ってコロナ対策に回しています。
ところが日本は高額武器の購入計画をなにひとつ削らず、過去最大規模だという補正予算をひたすら積みあげている。「不要不急」というなら、まさに武器こそが「不要不急」。休戦状態の韓国が削っているのに、なぜ日本がそのままなのか。

青木　たしかにそうですね。しかも先ほど半田さんは、アメリカへのＦＭＳの支払いが膨大に膨れあがっていて、その最大のものがイージス・アショアだとおっしゃいましたが、アメリカの最新鋭戦闘機F35の大量導入はもっと高額なんじゃないですか。

半田　数を足せばそうです。すでに１０５機を追加購入することが決まっていて、空軍版と海兵隊版で値段が違いますが、1機およそ１２０億ぐらいでしょうか。すべてを足せばこっちの方が大きくて、1兆円を超えてしまいますからね。

　これも先ほど少し話しましたが、ＦＭＳはアメリカが相手国の支払い能力を見て値段を決めるところがあって、アメリカ企業からアメリカ政府が買いあげてから売るわけですから、差額がすべてアメリカ政府の利益になっている。おかしな話です。

青木　辺野古の新基地建設も心底おかしな話でしょう。安倍政権は埋め立て工事を強行しましたが、軟弱地盤の存在が明らかになり、どれくらいまで費用が膨れあがるのかわからないうえ、そもそも完成できるかどうかすら怪しい。

半田　論外だと僕も思います。実はアメリカで去年まで海兵隊の総司令官を務めたデイビッド・バーガーという人物が今年3月、「兵力デザイン２０３０」というのを公表しています。アメリカ海兵隊が今後10年で目指す方向を示した内容ですが、そのなかでバーガーは海兵隊のあり方を抜本的に見直すと言っている。

青木　具体的にはどういう内容なんですか。

最初に止めるべきは辺野古

半田　まず、いままで陸軍と同じように持っていた戦車を全部廃止する。オスプレイの部隊も削減する。さらに上陸部隊も減らし、これからはミサイルを持つ妙な部隊に変わっていくというんです。

青木　それは海兵隊のような荒くれ部隊を戦地の最前線に送り込み、奇襲や撹乱を狙う作戦はもうやめようということですか。

半田　そう。たとえば中国の軍事力を見ると、そんなことをやっても餌食になるだけだと。敵前上陸もできないし、それ以前に海軍の船が近づいていったら全部やられちゃうというわけです。だから戦い方を抜本的に変える。そうすると沖縄の海兵隊のありようもだいぶ変わってくる可能性がある。

青木　つまり海兵隊の基地となる辺野古も本当に必要なのかと。

半田　ええ。しかも辺野古は当初３５００億円と言われていた費用が、設計変更などで９３００億円もの追加費用が必要になり、さらに12年も建設期間が延びてしまうわけです。青木さんが先ほど指摘されたように、海底は90メートルの深さまで軟弱地盤が広がっていて、現在の技術では70メートルまでしか杭を打てないことがわかっている。

これ、作業中に崩落してしまう恐れさえあると指摘されているんですよ。最近、新潟大学の名誉教授らが調べたところ、わずか震度1で崩落する可能性があると指摘されましたね。

青木　地質学を専門とする新潟大学の立石雅昭名誉教授らが政府のデータをもとに分析したところ、埋め立て後の護岸が震度1の地震でも崩落する恐れがあるという内容が報じられました。

半田　沖縄の東海岸では震度1の地震が年に10回発生しています。こんなものに多額のカネを注ぎ込む価値がどこにあるのか。イージス・アショアを撤回した本当の理由が費用対効果だとするなら、最初にやめるべきは本来、辺野古の基地建設です。

青木　アメリカは内心でどう思っているんでしょうね。高額兵器をひたすら爆買いしてくれるなら大歓迎で、鴨がネギを背負ってくるような上顧客でしょうが、完成するかも怪しい辺野古の新基地をどう思っているのか。

国民が求めるのは災害救助

半田　本音では普天間飛行場を返したくないのは間違いないでしょう。僕に言わせれば、嘉手納（沖縄・嘉手納町などに広がる東アジア最大級の米空軍基地）に３５００メートル以上の滑走路が２

本もあって、海軍と空軍が同居しているんだからそこに海兵隊も入れてもらえばいいじゃないかと思う。

ところがかつてこの嘉手納統合案に空軍が猛反対して、日本の外務省とタッグを組んで潰したんです。海兵隊というのは海軍から分派してできた組織で、空軍のマインドと最も離れているんですね。空軍としては海兵隊と同居したくないという単なるわがままで潰されてしまった。すると、海兵隊としては空軍に頭を下げたくないという思いもあるから、自前の基地がどうしても欲しくて、だから普天間飛行場は手放したくない。それを日本が新たに辺野古を埋め立てて新基地をつくってくれるというなら、自分たちの基地になるからいいね、というそれだけだと僕は思うんです。

青木　つまり、軍事的合理性でいえば嘉手納統合でまったく困らないと。

半田　困らない。むしろ好ましいんじゃないですか。

青木　では最後に、日米関係を含めた今後の日本の防衛政策と自衛隊のあるべき姿というのを半田さんはどう考えますか。

半田　僕は、本当の意味での専守防衛をその字義どおりに実現していくことが必要だと思っています。最近は安倍政権の下で自衛隊がどんどん外に出ていくための法体制が作られてしまって、もはやアメリカの海外派遣要請にノーと言えないような状態になってしまっている。そこで僕の考えを実現するためには政権交代が必要かもしれませんが、日本は「特殊な国」で構わないと思うんです。

たとえばPKOなどにはどんどん参加すればいいし、災害救助を含む人的貢献では自衛隊をもっと活用していくべきでしょう。日本防衛のために必要最小限のものはもちろんあった方がいいと思いますが、運用する武器はそのアイデンティティから決して逸脱するべきではない。

かつての自衛隊というのは実はよく考えられていて、船を持てば災害救助にも使えるし、トラックを持てばこれも災害救助に使えて、そういう装備を充実させてきたんですね。逆にイージス・アショアのようなものは災害救助などにまったく役立たないわけで、戦闘などに特化したものはこれまであまり持たないようにしてきた。

ところが最近、そういう武器や装備ばかりを増やしています。「いずも」にしたって、「いずも」として普通に使えばいいわけで、そこに戦闘機を載せる必要なんてないわけですよ。

青木　イージス・アショアにしても、大量のF35にしても、「敵基地攻撃」のためのミサイルにしても……。

半田　そう、そんなものはその目的のためにしか使えない。内閣府が3年に1度、世論調査をやっていて、自衛隊を評価するという回答が以前は80％をどうしても超えなかったけれど、東日本大震災以降は90％ぐらいで高止まりしているんです。

やはり献身的に災害救助にあたる自衛隊というのは、国民がもっとも求める自衛隊像なんでしょう。前回の世論調査では「自衛隊にどのような役割を期待するか」という質問を初めて入れたら、トップはやはり「災害救助」。その次が「国防」でした。

その「国防」にしても、北朝鮮が何らかのミサイルを撃つたびにJアラートを鳴らしたり、「頑丈な建物に入りましょう」などという妙な訓練をしたり、ある意味で不安をあおり立てた結果としての2番目の回答ですから、やはり国民の声をもっと真摯に聞くべきだと思うんです。

抵抗してきた戦後日本の保守

半田　そもそも米軍の2軍化とか、自衛隊のイギリス軍化とか、そんなことを望んでいる人がどれだけいるんでしょうか。国民にとって何の役にも立ちはしないし、「敵基地攻撃能力」みたいなものを日本が本格的に持つと表明すれば、いよいよ日本が本腰を入れて軍拡に取り組むのかということで、中国にしてもロシアにしてもさらに軍拡に走るだろうし、日本発の地域の不安定要素をつくるべきではありません。
青木　まったく同感ですが、それでも戦後日本の歴史を振り返れば、自衛隊の前身である警察予備隊も冷戦体制下の逆コースのなか、アメリカの要望で発足したものです。以後も一貫してアメリカに促される形で日本の防衛力が強化されてきたことを考えれば、自衛隊が米軍と一体化していくというか、2軍化していくのも歴史の必然という気もしてしまいます。
半田　それでも戦後日本の保守政治は一定の抵抗を試みてきたわけです。日本がサンフランシスコ講和条約を結んで国際社会に復帰した後、アメリカからは軍隊を持てと、陸上戦力は32万５０００人でスタートしろと言われたけれど、当時の吉田茂首相は３つの理由でそれに抵抗しました。

まず、日本は敗戦から立ち直っておらず経済的に無理だと。そして国民の厭戦気分が強くて世論が持たず、３つ目には憲法の規定があるから無理だと。

アメリカの要望といっても、日本側にも一定の交渉力があった。それは政治力であり、外交力であり、それから憲法というものが三つ巴になって日本の軍事大国化を防いできた。それをいったいなぜ、いまの政治家ができないのかと僕は思うんですけどね。

（２０２０年８月７日）

半田滋（はんだ・しげる）
１９５５年、栃木県生まれ。防衛ジャーナリスト、元東京新聞論説兼編集委員、獨協大学非常勤講師、法政大学兼任講師。下野新聞社を経て91年、中日新聞社入社。東京新聞編集局社会部記者を経て２００７年より編集委員。11年より論説委員兼務。防衛政策や自衛隊、米軍の活動について新聞や月刊誌に論考を多数発表している。２００４年中国が東シナ海の日中中間線付近に建設を開始した春暁ガス田群をスクープした。２００７年、東京新聞・中日新聞連載の「新防人考」で第13回平和・協同ジャーナリスト基金賞（大賞）を受賞。『「戦地」派遣　変わる自衛隊』（岩波新書）で２００９年度日本ジャーナリスト会議（ＪＣＪ）賞受賞。主な著書に『自衛隊vs.北朝鮮』（新潮新書）、『零戦パイロットからの遺言

―原田要が空から見た戦争』『僕たちの国の自衛隊に21の質問』（講談社）、『日本は戦争をするのか―集団的自衛権と自衛隊』（岩波新書）、『安保法制下で進む！　先制攻撃できる自衛隊―新防衛大綱・中期防がもたらすもの』（あけび書房）などがある。

第9章 平嶋彰英

人事で支配する強権政治

財務省の公文書改竄、防衛省の日報隠蔽や杜撰測量、あるいは厚労省の統計不正……。いちいちあげればキリはないが、このところ各省庁で続発する信じ難き不祥事の背後にいったいなにが横たわっているのか。ひょっとすれば、すべては似たような政治的歪みに起因していて、いずれも症状として表に噴出しているものにすぎないのではないか。

もちろん不祥事を続発させる官僚組織を擁護するつもりなどないし、政治は三流でも官僚は一流などと称されたかつての戯言を信じているわけでもない。ただ、昨今の政治の歪みが官僚機構に重大な腐食を生じさせているのではないかという問題意識を抱き、私は総務省のキャリア官僚だった平嶋彰英に『熱風』誌上でのインタビューを申しいれた。

詳しくは本編に記したが、平嶋は「ふるさと納税」なる制度の拡充に異議を唱え、時の政権中枢の不興を買って左遷の憂き目に遭った。どう考えてもその異議に理があったと私は思うが、政権中枢は真摯な異議に一切耳を傾けず、最終的には政権中枢の意向に沿って行動した平嶋を冷酷に放逐した。「とにかく乱暴で、気に入らないと人事権を振るうという印象しかない」と平嶋は嘆いた。要は周囲に絶対忠誠を強要し、意向をひたすら忖度する者を侍らせるのが習い性なのだろう。その政権中枢はいま政権の主に収まり、日本学術会議の任命拒否問題などにも本性が見事に反映されている。

つまり以下のインタビューには、私が事前に予測した以上の成果が詰めこまれている。そしてこれは私の勝手な感慨かもしれないが、インタビュー末尾に「付記」という形で一文を加えたのは、5年ほどに及ぶ『熱風』連載でも初めてのことである。その理由も本編と「付記」をお読みいただければすべてわかる。これはコロナ禍のこの国を統べる為政者の本性をあぶり出す、一種のスクープインタビューである。

青木　８年近くに及んだ第２次安倍政権がようやく終わり、その政権を官房長官として取りしきってきた菅政権が後を継ぎました。菅氏が内閣人事局などを通じて官僚の人事を掌握し、霞が関に睨みを利かせてきたのは周知のとおりです。

そんななか、総務省の自治税務局長だった平嶋さんは、ふるさと納税制度に疑義を唱えて左遷されたといわれています。ふるさと納税制度は総務相も務めた菅氏肝いりの政策でもあったわけですが、今日はぜひ、そのあたりの事実関係と内実をお聞かせください。また、お話を通じて戦後日本政治と官僚のあるべき関係についても考えたいと思っています。

平嶋　はい。知っていることは可能な限りお答えします。

青木　では早速ですが、ふるさと納税制度を統括する総務省の自治税務局長に平嶋さんが就いたのは２０１４年でしたね。

平嶋　２０１４年の７月です。ただ、その前の職が自治税務局の審議官、つまり局のナンバー２でしたから、ふるさと納税制度については以前から関わり、状況もよくわかっていました。

青木　ふるさと納税制度が菅氏らの旗振りで導入されたのは２００８年です。当初は年間５万件、利用額も１００億円に満たなかったわけですが、２０１５年に寄付の税額控除を約２倍にするとともに、ワンストップ特例を導入するなどの制度拡充が行われると利用が急増し、２０１８年度には一挙に５０００億円を突破しました。

と同時に寄付を集めるための返礼品合戦が加熱し、ギフト券や超高額グッズを用意する自治体まで登場して大問題になりました。ふるさと納税制度そのものについて、平嶋さんはどうお考えだったんですか。

平嶋　ふるさと納税制度そのものは私が自治税務局の仕事に関わる前にできていますから、いまさらどうしようもない面もあったわけですが、これを拡充しようなんていう動きを止められなかったのは正直言って忸怩たる想いです。総務省の役人をやっていた人間として本当に情けないし、無念で仕方ありません。

青木　それはいったいなぜですか。

平嶋　本質的にこの制度は極めて不平等で、不健全なのです。

カタログショッピング化した制度

平嶋　まずこの制度は所得の多い層、つまり比較的裕福な高所得者にとっては「使わないと損」という面があって、実際にそういう認識が広まっていました。一方、低所得者層にも薄く広く負担をお願いする消費税は、当時もいまも増税案が盛んに取り沙汰されていて、税の公平性という観点からみても大きな問題を孕んでいます。

　また、これは民主主義の大原則ですが、国を動かすお金は皆が公平に分担すべきです。国や社会の構成員ができるだけ公平に分担し、構成員が選んだ代表者や議会を通じて決めたことに従って使われる。

　しかし、ふるさと納税制度は違います。菅さんは「ふるさとに恩返しするんだ」とおっしゃって、これだけ聞くと綺麗な言葉に聞こえるかもしれませんが、本当に恩返しをしたいのであれば、本来はそれぞれの可処分所得のなかでやるべきでしょう。

青木　本来の意味での「寄付」をすべきだと。

平嶋　そうです。それぞれが公平な税金をきちんと払ったうえで寄付するのが本来の姿です。

　しかも、こんな制度を無闇に拡充すれば、比較的裕福な人びとほど「使わないと損」というカタログショッピング化するのは当初から明らかでした。そして実際にそうなってしまった。

　当時、自治税務局のなかで部下の職員ともさんざん議論をして、こんな制度を拡充するなんてありえないというのがみんなの意見でした。当たり前の話だったんです、それは。

青木　ふるさと納税制度の拡充には断固反対というのが、決して平嶋さんだけではなく、総務省で制度を担当する官僚の共通認識だったと。

平嶋　はい。話は少し横にそれますが、現在の総務省、かつての自治省というのは、実は〝現場〟がないんですね。しかし実際の〝現場〟のことを知悉している人たちがいないとマズいので、課長補佐クラスとか係長、そして事務官クラスもそうですが、全国の都道府県や市町村からの出向者がたくさんいます。

　そういう人たちを含めて、こんな制度を拡充するなんてあり得ないというのが共通認識でした。実際、制度の弊害はあちこちに現れていましたから。泉佐野市のケースも大きな問題になりましたね。

青木　大阪の泉佐野市はアマゾンギフト券を返礼品にするキャンペーンを展開し、巨額の寄付を集めたことが問題化しました。さすがにこれは行き過ぎだということで総務省が自粛要請したものの泉佐野市は従わず、ふるさと納税制度の対象から除外されましたが、今度は泉佐野市側がこの除外措置は違法だと訴えて裁判を起こしたわけです。

　そして最高裁は今年（２０２０年）の６月末、泉佐野市側の訴えを認め、総務省の措置は違法だとして取り消す判決を言い渡しています。判決を読むと、泉佐野市の寄付集めの手法にも苦言を呈しつつ、意に沿わない自治体を後づけの理屈で強引に押さえこもうとした政府、総務省の側に強い警告を発した形になりました。

平嶋　非常に無残ですが、当然の判決とも言えます。問題となった泉佐野の返礼品はギフト券でしたが、ほかにも問題だらけの返礼品がたくさん出ていました。あれはたしか京都府の自治体だったと思いますが、土地を返礼品にするケースまで現れたんですよ。１０００万円以上の高額寄付者を対象に「眺望抜群の宅地」を無償譲渡するんだと。

青木　まさに富裕層向けのカタログショッピング化してしまったと。

平嶋　ええ。そもそもこんな制度、最初はおそらく菅さんの思いつきの類だったんだと思うんです。先ほどお話ししたように、税や寄付の原則論から言ってもおかしな制度であって、住民税の基本的なありようを壊すことになりかねませんから、私の5代前ぐらいの自治税務局長も制度の導入時、抵抗したわけです。でも、その人も結局は飛ばされてしまった。

青木　そして菅氏が制度の拡充を言い出した時、責任者の自治税務局長だった平嶋さんも強く抵抗したわけですね。具体的にどのようなことがあったんですか。

驚愕した一冊の本

平嶋　あれは2015年の5月だったか6月だったか、そろそろ人事異動の季節が近いころ、私はまったく別の件で当時の高市早苗総務相のところにレクチャーに行きました。たしか部下も一緒でした。

　そのレクチャーが終わり、「以上です」と申しあげて大臣室を辞そうとしたら、高市さんから「あなただけ残りなさい」と言われたんです。だから私だけ残り、「なんでしょうか」とうかがったら、「あなた、菅ちゃんと何かあったの?」と。練りに練った人事案を官邸に持っていったらしいのですが、「あなただけはダメだって菅ちゃんが言うのよ」と。

青木　つまりは平嶋さんを上の役職に引きあげるのは許さんと、当時の菅官房長官が総務省の人事案を蹴飛ばしたということですか。

平嶋　そうでしょう。一部では事務次官への昇進案だったという憶測も流されましたが、これはまったく誤解です。おそらく別の局長への異動案だったんでしょう。それがダメだと菅さんに蹴飛ばされた。

青木　それまでに平嶋さんは菅官房長官と直接やり合うこともあったわけですね。

平嶋　ええ、前年の２０１４年から何回もお目にかかっています。ふるさと納税の件では何度も怒られましたからね。

青木　怒られたって、直接面罵されたんですか。

平嶋　最後は面罵に近かったですね。

青木　具体的にどのようなことがあったんですか。

平嶋　いろいろありましたが、一番印象に残っているのは大手出版社から出版された『ふるさと納税生活』という本を持っていった際のことです。そのときに持っていった資料のコピーがここにもありますが、いくらなんでもこれをご覧になれば問題点をわかっていただけると思ったんです。

青木　これはずいぶんあけすけな本ですね。タイトルに『１００％得をする　ふるさと納税生活』と銘打ち、本の帯には「我が家の食費は年間ゼロ円」、「ふるさと納税＝無料のお取り寄せグルメ」、「税金がＡ５ランクの肉や松葉ガニに化ける！」といった煽り文句がいくつも書かれていて、あげくの果てには「お手軽！　お得!!　やらなきゃ損!!!」ですか（苦笑）。

平嶋　ひどいものですが、本の中身もすさまじい。「返礼品が重なってしまうと大変だから、消費するスケジュールも考えて寄付しましょう」などと書かれていて、この本の著者にまた驚かされました。

青木　どういうことですか。

返礼品問題だけでもなんとかしたい

平嶋　私は著者についても調べて資料を作り、菅さんのところに持っていきました。実はこの著者、企業グループを運営している高額所得者なんです。具体的な所得額などを記して持参した資料のコピーもここにあります。

青木　著者の課税所得は約３億円、所得税額は約１・２億円、住民税は３０００万円……。そんな人物がふるさと納税制度を「使わないと損」と煽り、「我が家の食費は年間ゼロ円」などと大々的に喧伝している。まさに富裕層ほど「お得」な官製カタログショッピングになってしまっている証左だと。

平嶋　しかも、先ほどお話しした消費増税の論議もあるわけです。私は民主党政権期にも消費税問題に関わっていましたが、当時すでに消費税の引きあげは決まっていて、最後に最大の争点になったのが低所得者対策でした。消費税はやはり逆進性が高く、低所得者の負担がどうしても大きくなりますから、それをどうやって緩和するか。

最終的には公明党が唱えていた軽減税率を導入するという情けない結論になってしまいましたが、当時は軽減税率よりも給付金を出す方が早いだろうといわれていました。

で、その給付金をいくらぐらい出そうと考えたかといえば、所得分類で一番貧しい世帯は生活必需品にだいたい年間１００万とか、90万ぐらい充てている感じだったので、年間10万円、ひと月あたり1万円ちょっとぐらい出せばいいんじゃないかと。

そういった議論をしているさなか、ふるさと納税で富裕層が「食費ゼロ円生活」を楽しむ本が堂々ともてはやされている。虚しくなるに決まっているじゃないですか。

だからこんなものは許すべきではないと。せめて返礼品問題だけでもなんとかしなくちゃいけないと。そう考えていたわけですよ、私も、部下もみんな。

青木　そう考えると、たしかにふるさと納税制度の矛盾がきわだちますね。

平嶋　とはいうものの（菅氏は）実力者ですし、制度の拡充をどうしてもやるというなら、多少は検討しないわけにはいきませんから、いろいろな案を考えて持っていきました。一定の法規制を加えて高額返礼品は禁止するとか、所得によっては一部しか利用できないようにして高所得者が有利にならないようにするとか、本当にいろいろな案を考えました。

しかし、結局はすべてはねつけられました。だから私は『ふるさと納税生活』という本と資料を持っていったわけです。これを示しながら一生懸命に説明し、こんなことになっていますと申しあげましたが、菅さんは「純粋な気持ちでふるさと納税している人を俺は何人も知っている」と、このひと言で話は終わり。
これはもういくら言ってもダメだと、聞いてくれる雰囲気ではないと感じましたが、少しでもご理解いただきたいと思ってこの資料をクリアファイルに入れ、机の上に置いて帰ってきたんです。

青木　この『ふるさと納税生活』の本と、その著者が高所得者であることを示す資料を？

平嶋　そうです。

青木　官房長官の部屋の机の上に？

平嶋　ええ。私がいる前では言いにくいこともあるでしょうし、お立場もあるでしょうから。それに、落ち着いて本と資料を見てくだされば、少なくとも普通の政治家なら、この状態を放置しておくわけにはいかないと思われるはずだと考えたんです。そうしたら……。

青木　どうなったんですか。

突き返されたファイル

平嶋　内閣官房には菅さんの部下として総務省から出向している職員もいるのですが、その職員から私に連絡があって、「平嶋さん、官房長官の机に資料を置いていきましたね。菅さんから『平嶋に返してこい』と言われました」と告げられ、クリアファイルごと私のところに戻ってきました。

青木　それはある意味で強烈なメッセージですね。こんなものは読むつもりもないし、受け取ることとさえ拒否するのだと……。

　ところで平嶋さんは長い官僚生活のなかで多くの政治家に仕え、一緒に仕事もしてきたと思いますが、菅氏はどういう政治家だとお感じになりましたか。無茶なことばかり言う政治家とか、手に負えない政治家というのも、これまでたくさんいたのではないかと想像するのですが。

平嶋　率直に言って菅さんほどひどい方はいませんでした。ふるさと納税制度をめぐってここまで問題点が浮き彫りになってくれば、多少なりとも普通の感覚を持っている政治家ならわかってくださいますよ。その点については私の見通しが甘かったといえば甘かったのかもしれませんが。

青木　いずれにせよ、そういう経緯があって２０１５年の人事異動で平嶋さんだけが官邸からバツ印をつけられたと。

平嶋　ええ。一部の報道では、私が高市さんから「菅さんのところに行って謝ってこい」と言われたように書いてありましたが、正確にはそうではありません。「何か用事を作って（菅氏のところに）行っておいで」というようなことを言われたんです。

青木　当時の高市総務相から?

平嶋　そうです。「いくら嫌いな人間だって、何度も足を運んでくれば気が和んだりすることもあるから」とおっしゃってくれて。ただ、私は行きませんでしたけれど。

青木　少し意外なのですが、総務相としての高市氏は一応、部下である平嶋さんを守る姿勢は示していたわけですね。

平嶋　ええ、頑張ってくれました。これも一部で報道されましたが、高市さんは麻生さん（麻生太郎副総理兼財務相）にも相談してくださったそうです。それがかえって菅さんを怒らせたという話もありますが、「総理（安倍氏）のところにも行こうかしら」ともおっしゃってくれました。ただ、「こういう話、総理は『すべて菅ちゃんに任せてるから』としか言わないのよね」というようなこともおっしゃってましたから、実際に行かれたかどうかは知りません。

青木　つまり、ふるさと納税制度の問題点について平嶋さんは高市総務相とも問題意識は共有されていたわけですね。そのうえで菅官房長官と向きあっていた。

平嶋　どのような資料を官邸に持っていくか、話の趣旨はもちろん（総務相に）説明してありますから。もちろん、私が菅さんとぶつかるのを必ずしもいいことだとは思っていなかったでしょう。「そんなに厳しくしなくちゃダメなの？」というようなことをおっしゃったこともありました。

実をいうと、私が菅さんとぶつかったのは、ふるさと納税の話ばかりではありませんでした。もしかすると、そちらの方が菅さんの怒りを買ったんじゃないか、という人がいるくらいなんです。あいだに和泉さんも入った案件でしたから。

青木　和泉氏というと、菅氏に最も近い官邸官僚といわれる和泉洋人首相補佐官ですか。厚生労働省の女性幹部との親密な関係などを週刊文春に暴かれましたが、菅政権でも引き続き首相補佐官に就いています。その和泉氏もあいだに入って菅氏とぶつかったというのは、いったい何の件だったんですか。

外されるだろうと予感していた

平嶋　固定資産税の件です。

ご存知のとおり、固定資産税というのはその土地の価格に応じてかけることになっていますが、実はバブル時代に地価がものすごく上がったのに固定資産税が上がっていない場所とか、地価は下がりはじめているのに高い税額のままというような場所もあったんです。

それを緩和するために「据置特例」という措置があって、これはとても複雑なので詳しい解説は省きますが、住宅地にも商業地にも「据置特例」がありました。

そこで何が問題になったかというと、たとえば同じ市区町村内でも、土地の売買評価額はこちらの方が高いのに固定資産税は逆に安い、というような現象が起きていたんです。実際の評価額と固定資産税の税額が逆転してしまっていた。

これは決して望ましくないし、訴訟を起こされたら最高裁で負ける可能性もあります。法の下の平等をうたった憲法14条に反する疑いも濃く、そういう状況を放置するわけにはいかないという気持ちがわれわれには当然ありました。

このうち住宅地については民主党政権下で特例を廃止してもらっていました。なので自民党政権では商業地の特例をやめてもらおうと考えた。そのための準備を重ね、もちろん高市さんにも話をして納得していただき、自民党の税調（税制調査会）にかけてくださいというオッケーももらいました。

ただ、自民党には住宅や不動産関連の強力な族議員もいますから、所管省庁である国土交通省にも話をして、国交省から業界団体にも話を通して議論を進める必要がある。

だから高市さんの了解をもらったうえで国交省にも「税調で議論しますよ」と伝えたわけです。そうしたら国交省が菅さんのところに泣きついたようなんですね。

青木　そういえば和泉氏は国交省の出身です。そして族議員や業界団体の抵抗が始まったと。

平嶋　詳しいことはわかりませんが、しばらくして和泉さんから電話がかかってきて、「こんなことをやろうとしているのか」と。ですから私は和泉さんのところに説明にうかがい、「これはやらないとマズいことになります」「場合によっては憲法違反で裁判に負けます」「民主党でもやったのに、自民党でやらないわけにはいかないでしょう」とお伝えしたら、「そうか」とおっしゃる。

ただ、菅さんは一度言い出したら聞かない、ともいうんですね。そこは理屈も何もなくて、和泉さんがおっしゃるには「とにかく国交省の幹部と握ってこい」と。そうすればできるから、というんですが、国交省と握れるわけなんかありませんよ。後ろに業界団体が控えているんですから。

そうこうしていたら、日経新聞に記事が出たんです。この問題の議論がいよいよ税調でスタートする、と。

それを目ざとく見つけた菅さんは「俺がダメだと言っていることを新聞まで使ってやろうとするのか」と激怒しているという話が和泉さんから伝わってきて、実際に次官（総務事務次官）にも菅さんから直接電話があって猛烈に怒られたそうです。

そんなこともありましたから、２０１５年に高市さんから私の人事についての菅さんの反応を聞いた際も、「ああ、やっぱりか」と思うだけで驚きませんでした。そうなるだろうと予想していましたから。

青木　外されるだろうと。

平嶋　ええ。何かされるだろうなと。

役人を動かすのは人事

青木　しかし、菅氏はかつて総務相や総務副大臣も歴任し、総務省はある意味で支配下に収められているのかと思っていました。

平嶋　少なくとも私には、そんな気持ちはありませんでした。とにかく乱暴なことばかり言って、乱暴なことでも言い出したら聞かなくて、気に入らないと人事権を振るうという印象しかありません。

青木　過去に仕えた政治家と比べても、やはり飛び抜けて乱暴だったと。

平嶋　ええ。とにかく極端な人です。あそこまでひどい人はほかにいません。

青木　しかし、世襲議員ばかりが政権の座についてきた最近の日本政界で、菅氏はひさびさとなる叩きあげの実力者でしょう。銀のスプーンをくわえて生まれてきたような世襲議員とは違い、それなりに市井の苦労も現場の気持ちもわかっていると捉えている人も多いはずです。

　たとえば、同じ叩きあげの政治家として官房長官などを歴任し、辣腕を振るった故・野中広務氏と菅さんを重ね合わせるような評価もあるようですが。

平嶋　ぜんぜん違うと私は思います。それは野中先生に失礼です。野中さんは被差別部落に出自を持ち、虐げられている人びとの苦悩をよくご存知でした。アメリカでいま起きている「ブラック・ライヴズ・マター」もそうですが、野中さんは本当の意味で虐げられている側の立場を慮る幅の広さと懐の深さがあった。

　菅さんは違います。秋田の農家から集団就職で上京したというような物語をメディアが流布しましたが、実像はぜんぜん違いますよ。むしろ実家は裕福な農家です。

青木　では、平嶋さんの目に映った菅義偉という政治家の実像は……。

平嶋　とにかく権力への執着心がものすごく強い人。最初に菅さんが総務副大臣に就いたとき、私は上司らと一緒に食事をしたことがあります。その際に菅さんがいきなりおっしゃった台詞は忘れられません。「役人を動かすのは人事だと思ってるからな、俺は」と。

青木　いきなりそんなことを。

平嶋　ええ。面と向かって平然とそうおっしゃいました。実際に菅さんが総務相になった際、南君がいきなり飛ばされましたからね。

青木　南氏というと、総務省情報通信政策局の放送政策課長だった南俊行氏ですか。NHKの受信料改革をめぐって当時の菅総務相の怒りを買って更迭されたと報じられ、菅氏も自著でそれをなかば自慢話として記しているようです。

平嶋　南君は私と年齢がだいたい一緒なのでよく知っていますが、放送行政のプロでしたから、受信料などをめぐるNHK改革に取り組んでいました。これをどういう方針でやるかについて、各メディアの論説委員の人たちを集めた会合などで議論していたんですね。

ところが、そこで南君が話したことをどなたかが菅さんに伝えたらしいんです。「菅大臣はそう言っているけれど、担当課長はまったく違うことを言ってるじゃないか」と聞いた菅さんが激怒して南君は更迭。同じような目に遭ったのがかなりいるんです。

「法治」ではなく「人治」

平嶋　もちろん私は、政治主導を否定するつもりはありません。われわれ官僚は選挙で選ばれたわけではありませんから、最後はやはり政治家が政治責任を伴う形で決断すべきでしょう。ただし、それは別に政治家の思いつきをすべて実現しろということではないはずです。実際に政治主導の体制をつくるために10年以上も議論してきた積み重ねがあるわけで、なぜ私が官房長官のいうことを１００％聞かなければならないのか。本来ならば最低限、大臣を通じておっしゃるべきです。

　報道を見ていると、菅さんは最近も「政府の決定に従わない官僚には異動してもらう」とおっしゃったそうです。ならば、せめて政府の決定はきちんと手続きを踏んでお決めいただきたい。ふるさと納税制度の拡充なんて、自民党の公約にも書いてありませんでした。第２次安倍内閣ができた際も、基本方針の中にふるさと納税の「ふ」の字もありません。ならば、そんなものを拡充するだなんて、単なる思いつきではありませんか。

　一方、長い日本政治の歴史のなかでは、内閣総理大臣にすべての権限を集中させるのが本当にいいのか、という議論もありました。実際、政府内にはいろいろな省庁があって、省庁ごとにそれぞれの立場から国民生活を見ているわけです。

その省庁をそれぞれ統べる大臣がいて、それが内閣を構成し、合議制でやるところに意味があるという面もある。そういう分担管理の原則というのが日本国の行政法の中では長く続いてきたわけです。

もちろん、時の内閣総理大臣を党首とする政党が選挙で公約を掲げ、国民がそれを選びとり、政府の基本方針として閣議決定したことに官僚が逆らうのはおかしなことです。「民意はこうじゃないか」と言われれば、それは私だってもちろん従います。

でも、ふるさと納税は違う。自民党の公約にも書いてなかったし、政権の基本方針にも書いていません。

青木　なるほど。

平嶋　それから、これはとても大事なことなので強く申しあげておきますが、最終的に私は菅さんのおっしゃることに従い、そのとおりにやったんです。本当はやりたくありませんでしたから、内心では忸怩たるものがあって、最後までもっと抵抗すればよかったといまも思っていますが、最後はきちんとやったんです。

しかし、官房長官たる菅さんに本来、私を直接指示する権限などないはずです。内閣官房長官は、内閣の中に異なる意見があった際に調整する権限などはあるかもしれませんが、行政各局に直接指揮命令する権限などありませんよ。

ふるさと納税制度に関して言えば、おそらく安倍総理にも相談していないでしょう。そんな官房長官の指示が「菅案件」などと呼ばれ、役人が振り回される状況になってしまっている。要は人事権を持っている人間が一番強く、これでは「法治」ではなく「人治」です。なぜそうなってしまったかといえば、単に安倍さんが任せてしまっていたからでしょう。

「逃げ切りは許さんぞ」という最後の言葉

平嶋　繰り返しになりますが、それでも私は菅さんの指示に従い、最終的にはおっしゃる通りにしました。ただ、その途中段階で異議を唱えた。すぐには「うん」と言わなかった。要するに「お前は俺の前で鐘と太鼓を叩いて『これはいいですね！』と言わなかった」という理由で飛ばされたわけです。

青木　鐘と太鼓を叩いて囃し立てなかったばかりか、生意気にも制度の問題点を突いてきたと。

平嶋　「俺の手柄に傷をつけようとした」と思われたのかもしれません。これを手柄と思うこと自体、現実を直視されていないのだと私は思いますが、私が最後に菅さんとお目にかかったとき、その顔に書いてありましたよ、〝こいつだけは許さん〟と（苦笑）。

実際、私が菅さんから最後に言われた言葉が「逃げ切りは許さんぞ」でしたから。

青木　官房長官の部屋で？

平嶋　そうです。面と向かってそう言われました。２０１４年の12月だったと思います。

青木　時の官房長官が官僚に向かって「逃げ切りは許さん」などと言い放つのはかなり常軌を逸した恫喝ですが、いったいどういう意味だったんですか。

平嶋　要するに、言うことを聞かないまま逃げ切ろうとしたら飛ばすぞ、という意味でしょう。そんなこともありましたから、私は飛ばされるだろうと覚悟していました。

ただ、それでも当時は私の部下たちを含め、これはきちんと言っておかないと後悔するぞ、という想いの方が強かった。私が官邸で菅さんから「逃げ切りは許さんぞ」と告げられて役所に戻り、善後策を局内で議論したときも、みんなまだ抵抗しようとしていたのを鮮明に覚えています。こんな制度を拡充するなんてマズいと、当時はまだみんなが考えていました。

そして私は、官房長官にクビにしてもらえるなんて名誉なことじゃないかと公言していましたから。本当に名誉なことになってしまいましたけど（苦笑）。

各省の最高責任者は大臣

青木　そんな平嶋さんにぜひうかがいたいのですが、政治と官僚の関係は本来、どのようにあるべきだとお考えですか。各省庁への指揮監督権などない官房長官が思いつきで直接命令を発し、人事権を盾に締めあげるなんていうのは論外にせよ、政治主導そのものは平嶋さんも否定しないとおっしゃいましたね。

平嶋　もちろんです。ただ、政治主導とは何かという議論は、小選挙区制導入のころから長く積み重ねられてきたわけです。それを安倍さんや菅さんはまったく理解できていないんじゃないでしょうか。

　先ほども申しあげたように、そもそも内閣というのは分担制であって、各省の最高責任者は大臣です。かつての私の立場、総務省の立場からすると、その政策に何らかの問題があれば、これこれこういう問題があります、と私たちは総務大臣に申しあげる。

　それでも大臣が、自分で呑むんだ、とおっしゃるなら仕方ありませんが、これではダメだとお考えなら大臣が閣議できちんと抵抗する。それが原則です。

青木　つまり、各省庁はそれぞれの大臣が責任者であって、部下である官僚はそれぞれの大臣がきちんと掌握し、評価すべきだと。

　一方で官僚の側は、必要なデータや情報を歪みなく、そして遠慮なく政治の側に提供する。時に政府や大臣の意向と異なっていたとしても進言すべきはきちんと進言し、そのうえで政治の側が政治責任を担いつつ最終決断を下すのが本当の意味での政治決断だということですか。

平嶋　そうです。

青木　しかし、安倍政権下では菅官房長官を中心とする官邸が各省庁の幹部人事を牛耳り、霞が関には忖度や萎縮が蔓延してしまいました。

　振り返ってみれば、財務省で起きた公文書の改竄は典型的ですが、そのほかに厚労省で起きた統計不正も、防衛省で起きたＰＫＯ日報の隠蔽やイージス・アショアの杜撰《ずさん》調査などもそうですが、いくつも引き起こされた信じがたい官僚不祥事のほとんどは、官邸の大見得や無茶なトップダウン政策に官僚たちが右往左往させられた結果だったのではありませんか。

そういう風潮が蔓延した官僚組織のなか、平嶋さんは直言すべきを直言した。おかしなものはおかしいと抵抗したわけですね。

平嶋　もともとは財務省がその役割を担っていたんですがね。かつての財務省、つまり大蔵省には、「俺たちは内閣がつぶれても言うべきことは言う」といった官僚がいましたから。

青木　たとえば政治家は古くから票集めのために橋や道路をつくりたがり、一方で財政を司る大蔵省はそれにブレーキをかけてきた。

平嶋　それもあったでしょうが、やはり財政は健全化しなければならず、税のありようを曲げてはならないという基本的な矜持があったからでしょう。

青木　しかし、安倍政権は経産省や警察庁の官僚を官邸官僚として重用し、一種の側近政治を繰り広げる一方、各省庁を幹部人事で締めあげて忖度を蔓延させました。

しかもその主役だった菅氏が新政権の主に就いたわけですが、どうですか。この国の官僚システムは相当に傷んでしまっているとお感じですか。

メディアの責任も大きい

平嶋　そうかもしれません。ただ、正確に申しあげれば、私はいま現役の連中とは話をしていませんから、本当のところはわからないんです。だって、私と会っていることなんかがバレたら何をされるかわかりませんから（苦笑）。

青木　だとすれば、それ自体が異常極まりないことでしょう。政権の政策に真摯な疑義を唱えた官僚がクビを切られ、その官僚と親しくしているだけのことが憚られてしまうのは、まさに恐怖政治の兆候です。そんな状態が続けば官僚の世界から闊達な議論や活力が失われてしまうばかりでしょう。ただでさえ官僚志望者が減っていると言われているのに、ますます減ってしまうんではないですか。

平嶋　そのとおりです。あえて言えば、かつての東條英機内閣のころに雰囲気が似ているのかもしれません。あれほど無謀な太平洋戦争になぜ突入していってしまったかといえば、ある段階から言うべきことを言う人たちが言わなくなってしまったからなんですね。

　私が大学時代、日本史に鳥海靖先生という教授がいらっしゃいました。朝早い授業で大変だったのですが、とても興味深い授業だったので印象に残っています。鳥海先生いわく、戦前・戦中の日本が軍部独裁だったみたいに言われるけれど、実際はそういう空気に人びとが呑まれていた面も大きかったんだと。いまも昔も日本はそういう傾向が強い。アメリカなどはもっとタフでしょう。

青木　時に極端に走ることがあっても、揺り戻す復元力も相当に力強い。

平嶋　そう。こっち側で言う人がいれば、違うことを言う人も出てくる。

青木　ところが日本では、一定の空気ができてしまうとそれに呑まれ、言うべき人びとが言うべきことを言わなくなってしまう傾向が強い。自戒を込めて言えば、これはメディアの責任も大きいですね。

平嶋　おっしゃるとおりです。今度の〝パンケーキ報道〟もひどいものでした。番記者とパンケーキを食べながらオフレコ懇談したのも問題ですが、後継首相に決まった菅さんを紹介する際に「大の甘党」だとか「パンケーキ好き」だとか、メディアはひたすら持ちあげてしまいました。

　実は東條英機が出てきたときも似たような面があったようです。「大変な努力家」だとか「家庭では理想的な人」だとか、新聞なども東條をヨイショしていた。「ドイツのヒトラーやイタリアのムッソリーニにも負けない指導者が日本にはいる」と囃し立てたらしい。

　そういえば最近、京都大学の奈良岡聰智さんという先生が、安倍政権がかつての近衛文麿内閣と似た面があると指摘していたのが印象的でした。

青木　日本政治外交史が専門の奈良岡・京大大学院教授でしょうか。調べてみると、安倍首相が辞任を表明した直後、朝日新聞の朝刊に長文のコメントが掲載されていました。「日中戦争時の近衛文麿首相は戦局悪化で気力を失っていきました」と振り返ったうえで、奈良岡教授は次のように安倍首相と近衛首相を重ね合わせています。

〈安倍首相はよく民主党政権のことを「悪夢のような」と形容し、自身は危機管理に強いことを標榜してきました。しかし、いざ現実に新型コロナウイルスという危機が起きると、自身も無力であることが露呈してしまいました。私には、政権を途中で投げ出した近衛首相にその姿が重なります〉（朝日新聞２０２０年８月29日付朝刊）。

権力基盤を固めるため

平嶋　それに倣って言えば、まさに菅さんは近衛内閣の次に政権を率いた東條英機です。正直、私はいまも怖くて仕方ない。安倍さんは結局、ご自分で厳しいことができないから、そこを菅さんに全部任せてしまった。霞が関のコントロールはすべて菅さんでした。

青木　官僚ＯＢの方々に話を聞くと、安倍さんよりむしろ菅さんの方を見ながら仕事をしていたとおっしゃる方が多いですね。だから「安倍政権」というより「安倍・菅政権」だったと。

平嶋　私もそう思います。

青木　そういう意味で考えると、日本学術会議の会員候補６人の任命を拒否したのも、安倍政権の意向を引き継いだのかもしれませんが、菅政権といえば菅政権らしいのではありませんか。

平嶋　とはいえ、これはさまざまな意味でひどい話です。だいたい新政権の戦略としてもこんなことをやって何の得があるのか。批判されるのは目に見えているし、何のためにこんなことをするのか。考えられるとすれば、次の総選挙を睨んで安倍さんのシンパを取り込もうとする狙いぐらいでしょう。

青木　しかし、安倍政権は内閣法制局長官や日銀総裁、ＮＨＫの会長や経営委員にまで自らの意に沿う人物や〝お友だち〟を送りこみ、果ては検察トップ人事にまで直接介入しようと謀《はか》りました。特に異例の「定年延長」という措置を受けた東京高検検事長は、安倍首相というよりも菅官房長官のお気に入りでしたから、あの一件は菅氏の意向と考えるべきでしょう。

平嶋　つまり、権力基盤を固めるためには権力を使わなければいけないということなのかもしれません。今回の日本学術会議の任命拒否も、自分が権力を持っていることを誇示しようとしたとしか思えない。

　そういうところが東條英機的だと私は言うんです。自身に批判的だった中野正剛（新聞記者、政治家。１８８６〜１９４３年）を特高警察に徹底監視させて拘束させたのも東條ですし、政権を批判した毎日新聞の記者が前線に送り込まれた「竹槍事件」などもありました。

青木　「竹槍事件」はメディア界でよく知られた事件です。先の大戦中の１９４４年、毎日新聞の海軍担当記者だった新名丈夫が「竹槍では勝てぬ」と１面で書き、激怒した東條は陸軍に新名を二等兵として懲罰召集させるという挙に出ました。

　背後には陸軍と海軍の対立もあったようですが、もともと新名は極度の近視で兵役免除になっていましたし、当時すでに37歳でしたから、海軍がこれに抗議しました。

　一方、東條率いる陸軍は同じような兵役免除者を２５０人も召集して対抗し、最終的に新名は海軍報道班員としてフィリピンに送られることになったそうです。

公文書改竄まで引き起こした

青木　そうして新名は無事生還したものの、事件のあおりをうけて陸軍に召集された人びとは硫黄島に送られて戦死しています。まったく理不尽な話ですが、東條は自身が持つ権力を容赦なく振るって批判者や抵抗者をひれ伏させるのが習い性だったのでしょう。
平嶋　そういうことです。権力が好きなんです。
青木　菅氏はその東條を彷彿させると。つまり、戦後の保守政権が一定程度は持っていた権力行使への謙抑性が極度に薄く、抜き身の権力を遠慮会釈なくぶんぶんと振り回す。
平嶋　ええ。与えてはいけないオモチャのように。
　今回の日本学術会議の任命拒否も、自身が権力を持っているというのを見せつけたいとしか思えません。権力は実際に行使し、見せつけた方が権力基盤が固まると考えてらっしゃるのではないか。だから時には1人、2人ぐらいのクビを飛ばした方がいい。

　ただ、そういう残酷なことができるというのもある意味では能力ではあるのでしょう。人を切ったり飛ばしたりっていうのは、普通の人はなかなかできるものではありませんよ。誰だって情もあるし、罪の意識だってある。精神的によほど強くなければ、そういう冷酷なことをできないでしょう。

　また、これは私の考えなのですが、菅さんは自分がなさってきたことと同じことを他人にも求めているのかもしれません。ご自身が官房長官という地位に就いて権力を維持するため、いったいどれだけ安倍さんに尽くしてきたか。それと同じものを私たちに求める。


青木　森友学園や加計学園問題にせよ、あるいは「桜を見る会」の問題にしたって、次々に浮上した疑惑や不祥事について会見などで詰められ、矢面に立って突っ張ってきたのはたしかに菅官房長官でした。その菅氏にしてみれば、自分がどれだけ必死に首相や政権を守ってきたか分かるかと。だから部下たる官僚もそれくらい忠誠を尽くせと。

　しかし、その結果として財務省では佐川宣寿理財局長らが公文書改竄まで引き起こしてしまったわけです。一方、前川喜平元文科事務次官は公然と反旗を翻し、総務省の自治税務局長だった平嶋さんは最後まで必死に抵抗を試みました。

　どうなんでしょうか、実際の役人は佐川さんのようなタイプの方が残念ながら多いのではないですか。

平嶋　いや、そんなことはありません。少なくとも、不正までしていいと考えている者は多くない。おかしなことはやりたくないと思っている役人がほとんどですし、おかしなことは正さなければならないと考えているのが多数派でしょう。私に対してもひそかに激励してくれる人がいましたから。

青木　それでも平嶋さんが受けた仕打ちを眺めていれば、真っ当な官僚はどんどん減っていってしまうのではないですか。

平嶋　とはいえ、やはり実務をやる人間（官僚）は絶対に必要です。また、それぞれの分野で日ごろから情報を集め、政治のシンクタンク的な役割を果たす必要もある。

だから菅さんには、ご自身がそうしたものを根本から壊しているんだという認識をお持ちいただきたいんですが……。

いずれは歴史の法廷で裁かれる

青木　最後にもうひとつ、ぜひうかがいたいことがあります。平嶋さんが大学を出て自治省に入ったのは1981年ですね。

平嶋　そうです。

青木　まだ日本が右肩上がりの時代ですが、平嶋さんにもやはり官僚を目指した志というか、この国をこうしたいという強い想いがあったわけでしょう。

平嶋　いや、そこまで偉そうなことを言えるものはありませんでした。ただ、自治省では本当にやりがいのある仕事をさせてもらいました。

　特にわれわれの場合、地方自治体に出向します。私は最初の赴任地が北海道でした。この経験は本当に大きかった。北海道庁には地元の北大などを出た優秀なプロパー職員がたくさんいて、そういう人たちとのつきあいから多くのことを学びました。幹部として赴任した山梨県もそうでしたが、そういう現場で特に地方自治の重要性、地方分権の必要性にむけた基礎が培われたと思って心から感謝しています。

青木　さまざまな分野で、いまもそういう志や使命感を持つ官僚は多いでしょう。

　最後にうかがいたいというのは、そうした後輩官僚へのメッセージというか、伝えておきたいことがあればお話いただけませんか。

平嶋　うーん……。これは私、ときどき口にしてきたのですが、まずはタフさを持ってほしいということでしょうか。たとえば財務省に香川俊介さんという事務次官がいらっしゃいました。

青木　早くから財務省のエースと目され、主計局長などを経て２０１４年から財務事務次官を務めましたが、癌のため翌２０１５年に58歳という若さで亡くなりました。

平嶋　その香川さんは菅さんに相当食い込んでいました。消費税の引きあげについても、菅さんが反対なのはわかっていたけれど、さすがに香川さんを飛ばすことはできなかった。

それだけの人間関係を築き、香川さんは信頼も得ていた。それだけのタフさも香川さんにあった。逆にいえば、菅さんの無理な頼みを聞いたことも相当にあったんでしょう。

これは自分の後悔でもあるんですが、私だってもっといろいろなところに恩を売ったり、もっとしたたかに人間関係を築いていれば、ふるさと納税なんていうバカな制度を拡充しなくてよかったかもしれません。

実際に戦後の歴史を振り返っても、実にいろいろな方が総理を務め、いろいろな方が大臣に就いてきたわけですが、それとうまく向き合ってきた先輩の官僚群がいたわけです。しょせんは歯車のひとつと思うかもしれないけれど、そういう先輩たちがいたことを見習って、日本という国がおかしくならないようにがんばってくれと申しあげたい。まずはそれがひとつ。

それからもうひとつ、ふるさと納税制度の拡充などは典型的ですが、国民に迷惑をかけてしまうような結果になれば、自分が死ぬときにものすごく後悔する。それだけは嫌だと私は思いました。

政治家はもちろんですが、責任ある立場にいた官僚もいずれは歴史の法廷で裁かれます。そして自分の心に嘘はつけない。いずれ歴史の法廷に立って裁かれることを常に考え、自分の心に従い、官僚の後輩たちはそれに恥じないような行動をとってほしい。自分の行動を律し、おかしなことには誠実に声をあげていってほしい。心からそう願っています。

（2020年10月20日）

【付記】

このようなことを書き加えるのは本来、対談という形式にはふさわしくないのかもしれない。だが、事実としてあったことをなかなか伝え切れないのも、活字上での対談という形式の限界でもある。だから、少々異例ではあるけれど、対談で見た印象的な事実をひとつだけ付記しておきたい。

聞けば、現職の官僚時代に癌を患い、それを乗り越えたという平嶋氏だが、数年前に今度は脳梗塞を発症し、しばらくリハビリ生活を送っていたらしい。普通に話をしている限り、そのようなことを感じさせないほど元気で闊達だったが、いまも身体の一部に痺れなどが残っているという。

そんな平嶋氏との対談の最後に後輩官僚へのメッセージを尋ねた際、語りはじめた声がかすかに震え、うっすらと赤らんだ眼には涙が浮かんでいた。それは病の影響などでは断じてないと私には思われた。

勝手に推測すれば、自らがおかしいと感じた政策に必死の抵抗を試み、しかし最終的には屈服させられ、従わざるをえなかった無念。その上にクビを切られた無力感と憤り。一方で、できる限りの抵抗は試みたことへのひそやかな自負……。

それらがないまぜとなり、後輩官僚へのメッセージとして伝えようとした高揚が、平嶋氏の感情を根っこから揺さぶったのだろうと私は感じた。
劣化する一方の日本政治だが、官僚たちにはそんな矜恃もかろうじて残っている。そのことだけは最後に記しておきたい。

平嶋彰英（ひらしま・あきひで）
１９５８年、福岡県生まれ。立教大学大学院経済学研究科特任教授。元総務省大臣官房審議官、自治大学校長。１９８１年に東京大学法学部卒業後、旧自治省に入省。地方財政や地方税に携わる。総務省財政課長、財政制度・財務担当の大臣官房審議官、税務担当の官房審議官などを経て、２０１４年７月自治税務局長に。15年に自治大学校長に就任した後、17年に総務省を離れる。17年４月から現職。官僚時代、山梨県庁出向中に政財界にはたらきかけて経営危機に陥っていたヴァンフォーレ甲府のクラブ存続の道を開き、現在はヴァンフォーレ山梨スポーツクラブ取締役も務めている。

おわりに

本書の前作となる『時代の抵抗者たち』が河出書房新社から刊行されたのは、世界中を感染症のパンデミックが覆いつくしはじめた２０２０年5月のことだった。考えてみれば大変な時期だったが、幸いにして多くの方々に読まれ、高く評価もしていただき、あれからわずか半年と少ししか経っていないのに、こうして続編が刊行されることになった。まずは前作を読んでくださった方々に心からのお礼を申しあげたい。

ただ、感染症の世界的パンデミックはいまなお収まる気配がない。その感染症――新型コロナともＣＯＶＩＤ‐19とも呼ばれる感染症ウイルスの正体が当初よりは捉えられるようになり、欧米各国などで接種がはじまったワクチンにほのかな期待を抱きつつ、誰もがまだ不安と焦燥の只中にいる。もちろん私も例外ではない。

しかし、本書のなかにそのことを直接的に語り合ったインタビューや対談は含まれていない。これは、あえてそうしたと考えていただいても構わない。というのも、不安と焦燥のなかで誰もが浮き足だち、そのことばかりに気持ちを奪われて右往左往してしまいがちなさなか、だからこそもっと腰を落ち着けて広く深い本質的なことごと——たとえば政治や司法、芸術やマイノリティ、メディアやジャーナリズムなど——に想いをめぐらせ、思考を深めておくべきではないかと私は考えた。

とはいえ、おそらくは人類史的なできごととして記録されるだろう今回の感染症パンデミックをどう受けとめ、どう乗り越え、そしてコロナ後の社会をどう構築していくかのヒントは、本書のそこかしこに散りばめられていると思う。だから、前作につづいて本書も多くの方々の手に届き、多くの方々に読まれることを心から願っている。

最後に、本書は前作とおなじく河出書房新社の阿部晴政さんが編集の労をとってくださった。そして、一対ともいうべき両書のもととなった『熱風』誌のインタビュー・対談連載は現在も継続していて、ここではスタジオジブリのプロデューサーである鈴木敏夫さん、同出版部の額田久徳さん、森田由利さんに引きつづきお世話になっている。

これは前作の「あとがき」で記したから繰り返さないが、さまざまな人との出会いがつながり、仕事の輪として広がり、最終的にこうして一対のインタビュー・対談集として結実したのは、ここに名前をあげていない方を含めたみなさんのおかげであり、一介の取材者・物書きである私にとってこれほど幸せなことはない。

また、誰よりもインタビューや対談に応じてくださった方々がいなければ、このようなインタビュー・対談集を編むことはできなかった。残念ながら翁長雄志さんは亡くなってしまったけれど、まずは天国の翁長さんに、そして他の8人のみなさんに、最大限の謝辞を記して本書を閉じる。

2021年1月　ふたたび緊急事態宣言が出されている東京都内の仕事場で

青木　理

本書はスタジオジブリ刊行の月刊誌『熱風』で２０１５年７月から連載されている青木理「日本人と戦後70年」より９人を選んだものです。各章扉裏は書下ろしです。

青木理（あおき・おさむ）

1966年生まれ。共同通信記者を経て、フリーのジャーナリスト、ノンフィクション作家。緻密な取材と深い洞察によって時代の深層に肉薄する。著書に『日本の公安警察』（講談社現代新書）、『国策捜査』（金曜日、増補版は角川文庫）、『絞首刑』（講談社、文庫化）、『日本会議の正体』（平凡社新書）、『安倍三代』（朝日新聞出版）、『情報隠蔽国家』『暗黒のスキャンダル国家』『時代の抵抗者たち』（ともに河出書房新社）など多数。

時代の異端者たち

二〇二二年 二月一八日 初版印刷
二〇二二年 二月二八日 初版発行

著者 青木理
ブックデザイン 鈴木成一デザイン室
発行者 小野寺優
発行所 株式会社河出書房新社
〒一五一―〇〇五一
東京都渋谷区千駄ヶ谷二―三二―二
電話 〇三―三四〇四―一二〇一［営業］
〇三―三四〇四―八六一一［編集］
http://www.kawade.co.jp/

組版 KAWADE DTP WORKS
印刷・製本 三松堂株式会社

ISBN978-4-309-24996-4
Printed in Japan

時代の抵抗者たち

青木理

時代によって「抵抗者」たらざるをえなくなった各界の重要人物九名との対話によって、時代の深淵を問い、未来をさぐる、いま最も重要な書。